#홈스쿨링
#혼자공부하기

똑똑한
하루
글쓰기

Chunjae
Makes
Chunjae

▼

[똑똑한 하루 글쓰기] 5A

기획총괄	박진영
편집개발	전종현, 이재인, 김민숙, 백경민, 박지윤, 김효진
디자인총괄	김희정
표지디자인	윤순미, 김지현
내지디자인	박희춘, 배미현
제작	황성진, 조규영

발행일	2021년 8월 1일 초판 2021년 8월 1일 1쇄
발행인	(주)천재교육
주소	서울시 금천구 가산로9길 54
신고번호	제2001-000018호
고객센터	1577-0902

5단계 A 공부할 내용 한눈에 보기!

똑똑한 하루 글쓰기를 함께 할 친구들을 소개합니다.

바밤별에서 글쓰기를 배우러 온 외계인 친구 밤톨! 엉뚱발랄한 달래와 잘난 척 왕자 기찬을 만나 함께 공부하며 글쓰기 실력이 쑥쑥 자라고 있대요.

3주 | 기행문을 써 보자!

4주 | 실험 보고서를 써 보자!

안녕~!   함께 하자!   무엇이든 물어봐!   글쓰기도 재미있어!

글봇   판판   똑똑이   술술이

글쓰기 공부를 도와주는 글봇과 말하는 판다 판판도 글쓰기 공부를 함께 할 거예요.
글쓰기 채널을 운영하는 똑똑TV 똑똑이와 술술TV 술술이도 기억해 주세요.

글쓰기, 어떻게 시작할까요?

똑똑한 글쓰기 질문 하나! 글쓰기 공부 왜 필요할까요?

자신의 생각을 표현하는 수단이자 모든 학습의 바탕이 되는 활동이 바로 글쓰기예요. 특히 배운 내용을 정리하고, 이해한 것을 글로 풀어내는 글쓰기 능력은 모든 과목 학습 성취에 큰 영향을 끼친답니다.

똑똑한 글쓰기 질문 둘! 계속되는 글쓰기 공부의 실패 원인은 무엇일까요?

글쓰기를 시작하는 순간부터 아이들은 무엇을 써야 할지, 어떻게 표현할지, 어떻게 고쳐야 자연스러울지 등 많은 고민을 하게 되고, 이를 힘들어한답니다. 이렇게 복잡하고 어려운 글쓰기 과정이 익숙해지지 않았을 때 "이것 한번 써 보렴." 하고 과제를 주면 돌아오는 대답은 "엄마, 글쓰기가 싫어요!"일 수밖에 없을 거예요. 그래서 『똑똑한 하루 글쓰기』는 아이들이 차츰 글쓰기에 익숙해지고 재미를 붙여 나갈 수 있도록 만들었답니다.

똑똑한 글쓰기 질문 셋! 글쓰기 공부 어떻게 시작해야 할까요?

쉽고 재미있는 『똑똑한 하루 글쓰기』로 시작해 보세요. 만화와 게임 형식의 문제로 글쓰기 개념을 익히고, 낱말 쓰기부터 한 편 쓰기까지 단계별로 글쓰기를 연습할 수 있어요. 그리고 고쳐쓰기를 통해 문법 실력을 키우고, 내 생각 쓰기로 마무리하며 창의적 글쓰기까지 연습할 수 있답니다. 하루하루 꾸준히 공부해서 한 권을 끝내면 글쓰기 실력과 함께 자신감도 쑥쑥 자랄 거예요.

진짜 똑똑한 글쓰기를 시작해 볼까요?

똑똑한 하루 글쓰기로
똑똑해지자!

똑똑한 하루 글쓰기!
왜 똑똑한 하루 글쓰기일까요?

1 10분이면 **하루 글쓰기 끝!** 쉽고 재미있는 글쓰기 공부!

2 교과 학습 과정을 반영한 **갈래별 글쓰기!** 매주 다양한 갈래로 즐거운 학습!

3 **단계별 글쓰기**로 글쓰기 실력 향상! 낱말 쓰기부터 한 편 쓰기까지!

4 **고쳐쓰기**로 기초 실력 다지기! 어휘력과 문법 실력도 쑥쑥!

5 **창의·융합·코딩**으로 사고력 넓히기! 생활 어휘부터 코딩 학습까지!

구성과 활용 방법

주 도입

한 주 동안 공부할 내용을 만화로 미리 살펴보고, 한 주의 글쓰기 개념을 만화와 문제로 확인합니다.

똑똑한 하루 글쓰기 코스

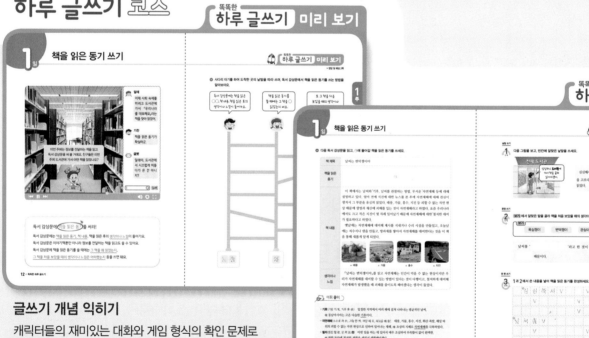

글쓰기 개념 익히기

캐릭터들의 재미있는 대화와 게임 형식의 확인 문제로 핵심 글쓰기 개념을 익힙니다.

단계별 글쓰기

다양한 글쓰기 상황을 살펴보고, '낱말 쓰기 → 문장 쓰기 → 한 편 쓰기'를 단계별로 학습하며 쉽고 재미있게 글쓰기를 연습합니다.

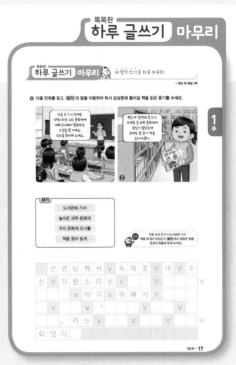

고쳐쓰기

'낱말 고쳐쓰기 → 문장 고쳐쓰기'를 통해 글쓰기의 기본인 어휘력을 높이고 문법과 맞춤법 실력을 다집니다.

내 생각 쓰기로 마무리

하루 학습 목표에 맞게 제시된 주제에 대한 내 생각 쓰기로 하루의 글쓰기 학습을 마무리합니다.

주 특강

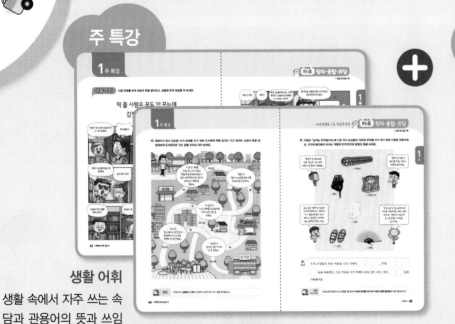

+

누구나 100점 테스트

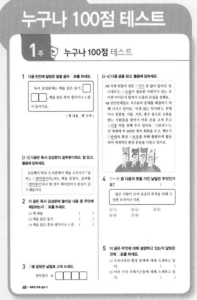

생활 어휘

생활 속에서 자주 쓰는 속담과 관용어의 뜻과 쓰임을 만화로 익힙니다.

창의·융합·코딩 미션

게임 형식의 창의·융합·코딩 미션을 해결하며 재미있게 한 주의 중요 어휘를 확인하고 다양한 배경지식을 넓힙니다.

누구나 100점 테스트

한 주 동안 공부한 내용을 평가하며 갈래별 글쓰기 실력을 확인합니다.

친구들과 약속해요!

우리 같이 약속해요!

첫째, 하루하루 빠짐없이 꾸준히 공부하기!

둘째, 하루 글쓰기 문제 끝까지 다 풀기!

셋째, 또박또박 바르게 글씨 쓰기!

약속하는 사람 _____

쉽고 재미있는
『똑똑한 하루 글쓰기』로
첫 글쓰기 공부를 시작해 봐요.

똑 똑 한

하루
글쓰기

5 단계
A
4~5학년

독서 감상문을
써 보자!

1-1

달래는 독서 감상문에 들어갈 내용 중 무엇에 대해 말하고 있는지 알맞은 것에 ○표를 하세요.

표지에 있는 그림이 예뻐서 책을 읽게 되었어.

(1) 책 내용 ( )

(2) 책을 읽은 동기 ( )

(3) 책을 읽은 후의 생각이나 느낌 ( )

1-2

다음은 독서 감상문에 들어갈 내용 중 무엇에 해당하는지 알맞은 것을 골라 따라 쓰세요.

『날씨는 변덕쟁이야』를 읽고 자연재해는 인간이 막을 수 없는 현상이지만 우리가 자연재해를 대비할 수 있는 방법이 있다는 것이 다행이고, 철저하게 대비해 자연재해가 발생했을 때 피해를 줄이도록 해야겠다는 생각이 들었다.

▲ 홍수

▲ 지진

글 쓴 이

책 내 용

생 각 이 나

느 낌

▶정답 및 해설 2쪽

2-1 다음은 독서 감상문에 들어갈 책 내용을 어떤 점을 중심으로 정리한 것인지 빈칸에 알맞은 말을 쓰세요.

▲ 불국사

　　세계의 문화유산과 자연 유산 중에서 특별히 귀중한 것을 뽑아 오랫동안 보존하기 위해 세계 문화유산으로 지정한다고 하였다.

　　이 책을 읽고 석굴암과 불국사, 수원 화성, 해인사 장경판전, 조선 시대 왕과 왕비의 제사를 지내던 종묘 등 이렇게 많은 우리 문화재가 세계 문화유산으로 지정되어 있다는 사실을 새롭게 알게 되었다.

| ㅅ | ㄹ | ㄱ | ㅇ | ㄱ | ㄷ | ㅈ | 을 중심으로 정리하였다.

2-2 다음은 독서 감상문에 들어갈 책 내용을 어떤 점을 중심으로 정리한 것인지 알맞은 것에 ○표를 하세요.

　　우리 조상들은 자연에서 얻은 재료를 이용하여 그릇을 만들었다. 잘 다진 흙으로 그릇을 빚은 다음, 그늘에 말리고 잿물을 발라 불에 구워서 옹기나 도자기를 만들었다. 이 중에서 가장 인상 깊었던 것은 옹기는 쓰다가 버려도 환경 오염이 되지 않는다는 점이다. 옹기의 재료인 흙을 자연에서 얻었고, 잿물 또한 나무에서 얻었기 때문이라고 한다.

▲ 옹기

(1) 인상 깊었던 점을 중심으로 정리하였다.　　　(　　　　)

(2) 일이 일어난 차례를 중심으로 정리하였다.　　　(　　　　)

1일 책을 읽은 동기 쓰기

달래
어제 사회 숙제를 하려고 도서관에 가서 『우리나라를 대표해요』라는 책을 찾아 읽었어.

기찬
책을 읽은 동기가 확실하군.

글봇
달래야, 도서관에서 시끄럽게 떠들다가 온 건 아니지?

이번 주에는 정보를 전달하는 책을 읽고 독서 감상문을 써 볼 거예요. 친구들은 이번 주에 도서관에 가서 어떤 책을 읽었나요?

독서 감상문에 책을 읽은 동기를 써라!

독서 감상문에는 책을 읽은 동기, 책 내용, 책을 읽은 후의 생각이나 느낌이 들어가요.

독서 감상문은 이야기책뿐만 아니라 정보를 전달하는 책을 읽고도 쓸 수 있어요.

독서 감상문에 책을 읽은 동기를 쓸 때에는 그 책을 왜 읽었는지,

그 책을 처음 보았을 때의 생각이나 느낌은 어떠했는지 등을 쓰면 돼요.

● 사다리 타기를 하여 도착한 곳의 낱말을 따라 쓰며, 독서 감상문에서 책을 읽은 동기를 쓰는 방법을 알아보아요.

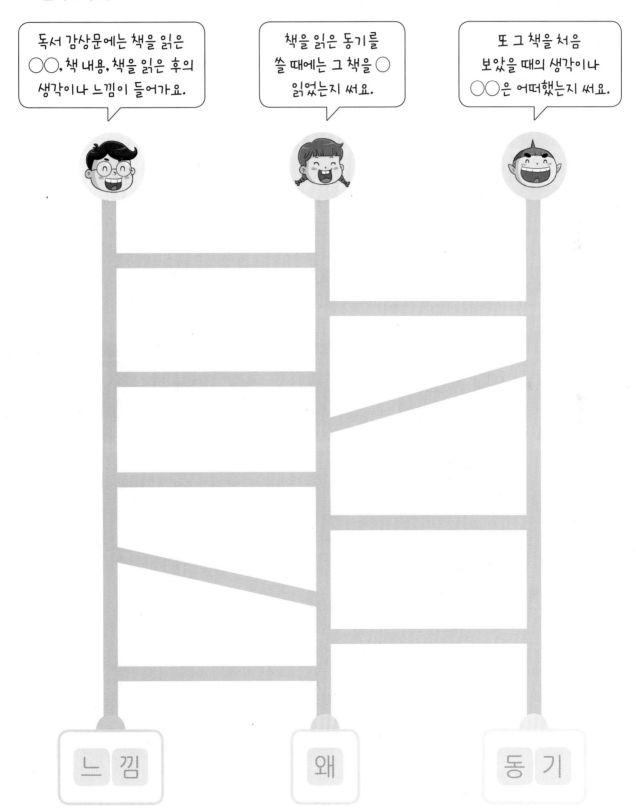

독서 감상문에는 책을 읽은 ○○, 책 내용, 책을 읽은 후의 생각이나 느낌이 들어가요.

책을 읽은 동기를 쓸 때에는 그 책을 ○ 읽었는지 써요.

또 그 책을 처음 보았을 때의 생각이나 ○○은 어떠했는지 써요.

느낌

왜

동기

책을 읽은 동기 쓰기

● 다음 독서 감상문을 읽고, ㉠에 들어갈 책을 읽은 동기를 쓰세요.

책 제목	날씨는 변덕쟁이야
책을 읽은 동기	㉠
책 내용	이 책에서는 날씨와 ▼기후, 날씨를 관찰하는 방법, 무서운 ▼자연재해 등에 대해 설명하고 있다. 얼마 전에 지진에 대한 뉴스를 본 후에 자연재해에 대해 관심이 생겨서 그 부분을 유심히 읽었다. 태풍, 가뭄, 홍수, 지진 등 피할 수 없는 자연 현상 때문에 생명과 재산에 피해를 입는 것이 자연재해라고 하였다. 요즘 우리나라에서도 크고 작은 지진이 몇 차례 일어났기 때문에 자연재해에 대한 ▼철저한 대비가 필요하다고 하였다. 옛날에는 자연재해에 대비해 제사를 지내거나 수리 시설을 만들었고, 오늘날에는 저수지나 댐을 만들고, 방파제를 쌓아서 자연재해를 대비한다는 것을 이 책을 통해 새롭게 알게 되었다. ▲ 태풍　　▲ 가뭄　　▲ 홍수　　▲ 지진
생각이나 느낌	『날씨는 변덕쟁이야』를 읽고 자연재해는 인간이 막을 수 없는 현상이지만 우리가 자연재해를 대비할 수 있는 방법이 있다는 것이 다행이고, 철저하게 대비해 자연재해가 발생했을 때 피해를 줄이도록 해야겠다는 생각이 들었다.

🐭 **어휘 풀이**

▼**기후**|기운 기 氣, 기후 후 候|　일정한 지역에서 여러 해에 걸쳐 나타나는 평균적인 날씨.
　　㉠ 동남아시아는 고온 다습한 기후이다.

▼**자연재해**|스스로 자 自, 그럴 연 然, 재앙 재 災, 해로울 해 害|　태풍, 가뭄, 홍수, 지진, 화산 폭발, 해일 따위의 피할 수 없는 자연 현상으로 인하여 일어나는 재해. ㉠ 조상의 지혜로 자연재해를 극복하였다.

▼**철저**|통할 철 徹, 밑 저 底|**한**　어떤 일을 하는 데 있어서 매우 조심하여 부족함이 없이 완벽한.
　　㉠ 방학 동안에 철저한 계획을 세워서 생활해야겠다.

낱말 쓰기

1 단계 다음 그림을 보고, 빈칸에 알맞은 낱말을 쓰세요.

심심해서 학교 ㄷ ㅅ ㄱ 에서 책을 고르다가 『날씨는 변덕쟁이야』라는 책을 읽었다.

문장 쓰기

2 단계 보기 에서 알맞은 말을 골라 책을 처음 보았을 때의 생각이나 느낌을 한 문장으로 쓰세요.

보기

| 욕심쟁이 | 변덕쟁이 | 관심이 갔기 | 장난을 치기 |

날씨를 '⬜⬜⬜⬜'라고 한 것이 재미있어서 ⬜

⬜ 때문이다.

한 편 쓰기

3 단계 **1**과 **2**에서 쓴 내용을 넣어 책을 읽은 동기를 완성하세요.

❶심	심	해	서	∨		∨		∨
	∨				∨	『		∨
			┘		∨		∨	.
❷날	씨	를	∨	'			'	∨
	∨				∨			
	∨			.				

▶ 정답 및 해설 2쪽

1
낱말
고쳐쓰기

다음 문장의 밑줄 그은 낱말을 바르게 고쳐 쓰세요.

(1) 날씨는 <u>변덕장이</u>야.

(2) 옹기를 만드는 사람을 <u>옹기쟁이</u>라고 해.

힌트 '-장이'는 '어떤 기술이 있는 사람'이라는 뜻을 더하는 말이고, '-쟁이'는 '어떤 특성이 있는 사람'이라는 뜻을 더하는 말이에요.

2
문장
고쳐쓰기

판판의 말에서 밑줄 그은 부분을 바르게 고치고, 문장을 따라 쓰세요.

얼마 전에 지진에 대한 뉴스를 본 후에 자연재해에 대해 관심이 생겨서 그 부분을 <u>유심이</u> 읽었다.

얼	마	∨	전	에	∨	지	진	에	∨	대	한	∨
뉴	스	를	∨	본	∨	후	에	∨	자	연	재	해	에	∨
대	해	∨	관	심	이	∨	생	겨	서	∨	그	∨	부
분	을	∨			∨	읽	었	다	.		

▶ 정답 및 해설 2쪽

● 다음 만화를 읽고, 보기 의 말을 이용하여 독서 감상문에 들어갈 책을 읽은 동기를 쓰세요.

보기

도서관에 가서

놀라운 과학 문화재

우리 문화재 조사를

책을 찾아 읽게

 힌트 만화 속의 친구가 도서관에 가서 책을 왜 찾아 읽었는지 보기 에서 알맞은 말을 문장의 흐름에 맞게 써 봐요.

선	생	님	께	서	∨	숙	제	로	∨	내	∨	주
신	∨	자	랑	스	러	운	∨		∨			∨
		∨	하	기	∨	위	해	서	∨			
	∨		∨	『				∨		∨		
	』	라	는	∨			∨		∨			∨
되	었	다	.									

책 내용 정리하기 ①

밤톨

독서 감상문 쓰기는 너무 어려워!

달래

그중에서도 책 내용을 정리하는 게 어려운 것 같아.

기찬

책을 읽고 새롭게 알게 된 점을 중심으로 내용을 정리하면 쉽게 할 수 있어.

오늘은 『지구를 돌보는 국제기구』라는 책을 읽고, 책 내용을 정리하는 방법을 알아보아요.

새롭게 알게 된 점을 중심으로 책 내용을 정리해라!

정보를 전달하는 책을 읽고 독서 감상문에 들어갈

책 내용을 정리할 때에는 먼저 어떤 대상을 설명하고 있는지 찾아보고,

자신이 새롭게 알게 된 점을 중심으로 정리할 수 있어요.

이때, 새롭게 알게 된 점과 관련된 자신의 경험 등을 간단하게 써도 좋아요.

▶ 정답 및 해설 3쪽

1주

● 그림에 맞는 퍼즐 모양을 찾아 ○표를 하고, 독서 감상문을 쓸 때 책 내용을 정리하는 방법에 맞게 빈칸에 들어갈 말을 알아보아요.

정보를 전달하는 책을 읽고, 자신이 ○○○ 알게 된 점을 중심으로 정리할 수 있어요.

새롭게

원인과

결과에

새롭게 알게 된 점을 중심으로 책 내용을 정리하는 방법을 생각하며 문장을 따라 쓰세요.

| 다 | 양 | 한 | V | 국 | 제 | 기 | 구 | 들 | 이 | V | 있 | 다 |
| 는 | V | 것 | 을 | V | 알 | 게 | V | 되 | 었 | 다 | . | |

● 다음을 읽고, 새롭게 알게 된 점을 중심으로 책 내용을 정리하여 쓰세요.

지구를 돌보는 국제기구

　지구촌 곳곳에는 환경 문제뿐만 아니라 전쟁과 가난, 굶주림 등 여러 가지 문제점들이 있어요. 이러한 지구촌의 여러 가지 문제들을 해결하기 위해 국제 연합과 민간의 여러 국제기구들은 많은 노력을 기울이고 있답니다.

　국제 연합의 전문 기구 중 많이 알려진 '유니세프'는 도움이 필요한 어린이가 있는 곳이면 어디든지 달려가 도움의 손길을 전해요. 배고픈 아이들에게는 먹을 것을 나누어 주고, 아픈 아이들은 정성껏 치료해 주지요. '국제 노동 기구'는 사람들이 안전하고 좋은 환경에서 일할 수 있도록 힘쓰고 있어요. 또 성별이나 피부색에 따라 차별받지 않고 월급을 받을 수 있게 도와주고 있지요.

　민간단체들도 지구촌의 문제를 해결하기 위해 나서고 있어요. '국경 없는 의사회'는 전쟁이나 전염병, 가뭄, 지진, 홍수 등으로 고통을 받는 사람들을 찾아가 아픈 곳을 고쳐 주고 각종 약을 전해 주고 있어요. '그린피스'는 전 세계에 약 400만 명의 회원을 두고, 핵무기 반대와 환경 보호를 위해 활발하게 활동하며 세계적인 환경 운동을 이끌고 있어요.

🐭 **어휘 풀이**

▼ **지구촌**|땅 지 地, 공 구 球, 마을 촌 村|　지구 전체를 한 마을처럼 여겨 이르는 말.

　　예 올림픽은 <u>지구촌</u>의 축제이다.

▼ **기구**|틀 기 機, 얽을 구 構|　많은 사람이 모여 공공의 목적을 위해 구성한 조직이나 기관.

　　예 정부는 행정 <u>기구</u>를 개편하였다.

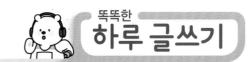
낱말 쓰기

1단계 다음은 『지구를 돌보는 국제기구』를 읽고, 책 내용을 정리한 것이에요. 빈칸에 알맞은 낱말을 쓰세요.

우리는 지구의 평화를 지키는 **국제기구**!

이 책은 여러 가지 ⃞ㄱ ⃞ㅈ ⃞ㄱ

⃞ㄱ 들에 대해 소개하고 있다.

문장 쓰기

2단계 **보기** 의 말을 이용하여 책 『지구를 돌보는 국제기구』의 내용을 한 문장으로 정리하세요.

보기

| 국경 없는 의사회 | 그린피스 | 국제 노동 기구 |

텔레비전 광고를 통해 이미 알고 있던 '유니세프' 외에 '

⃞ ',' ',' '등 다

양한 국제기구들이 있다는 것을 새롭게 알게 되었다.

한 편 쓰기

3단계 **1**과 **2**에서 쓴 내용을 넣어 새롭게 알게 된 점을 중심으로 책 내용을 정리해 보세요.

이 책은 ❶ _____

지구촌 곳곳에는 여러 가지 환경 문제, 전쟁과 가난 등 해결해야 할 문제들이 많이 있다. 지구촌의 여러 가지 문제 해결과 발전을 위해 국제기구들이 다양한 활동을 벌이고 있는데

❷ _____

_____

_____

특히, 요즘 환경 문제에 관심이 많았던 나는 '그린피스'의 활동을 집중해서 읽었다. 전 세계에 많은 회원을 두고 세계적인 환경 운동을 이끌고 있다는 점이 정말 대단하게 느껴졌다.

▶정답 및 해설 3쪽

1 낱말 고쳐쓰기

다음 문장에서 밑줄 그은 낱말을 바르게 고쳐 쓰세요.

'유니세프'는 도움이 필요한 어린이가 있는 곳이면 어디든지 달려가 도움의 <u>손낄</u>을 전해요.

손 낄 → ☐ ☐

2 문장 고쳐쓰기

다음 (친구가 고쳐 쓴 문장) 과 같이 밑줄 그은 부분의 띄어쓰기를 바르게 고치고, 문장을 따라 쓰세요.

(친구가 고쳐 쓴 문장)

　내 짝꿍은 공부 뿐만 아니라 운동도 열심히 한다.
　→ 내 짝꿍은 <u>공부뿐만 아니라</u> 운동도 열심히 한다.

힌트

'앞의 말이 나타내는 내용에 더해 뒤의 말이 나타내는 내용까지 작용함을 나타내는 표현.'의 뜻인 '~뿐만 아니라'는 '공부', '문제' 등 사람이나 사물의 이름을 나타내는 낱말과는 붙여 써요.

환	경	∨	문	제	∨	뿐	만	∨	아	니	라	∨
전	쟁	과	∨	가	난	∨	등	∨	여	러	∨	가	지	∨
문	제	점	들	이	∨	있	어	요	.			

↓

		∨				∨				∨	전
쟁	과	∨	가	난	∨	등	∨	여	러	∨	가	지	∨
문	제	점	들	이	∨	있	어	요	.			

똑똑한
하루 글쓰기 마무리   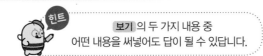 내 생각 쓰기로 하루 마무리

◉ 다음은 『울퉁불퉁 지형』을 읽고, 새롭게 알게 된 점을 중심으로 책 내용을 정리한 것이에요. 빈칸에 알맞은 내용을 보기 에서 골라 쓰세요.

> 분지는 주변이 산으로 둘러싸여 있는 평평한 땅을 말해요.
> ⋮
> 그래서 옛날부터 분지에는 크고 작은 도시들이 발달했답니다.
> ⋮

> 산지, 하천, 평야, 해안에 대해서는 알고 있었는데 '분지'라는 지형은 이 책을 통해 새롭게 알게 되었어. 대구가 대표적인 분지 도시라는 것도……

    『울퉁불퉁 지형』은 분지, 산지, 하천, 평야, 해안의 다섯 가지 땅의 모습에 대해 자세히 알려 주는 책이다. 산지, 하천, 평야, 해안에 대해서는 알고 있었는데 분지는 이 책을 통해 처음 알게 되었다.
    분지는 주변이 산으로 둘러싸여 있는 평평한 땅을 말하는데 농사를 짓기에 알맞고, 갖가지 임산물도 얻을 수 있는 땅이다. 하지만 분지를 둘러싼 산들이 공기나 구름의 흐름을 막아서 분지에는 바람이 잘 통하지 않고 비가 적게 내려서 여름철에 몹시 무덥다고 한다.

보기

> 작년 여름에 놀러 갔던 대구가 대표적인 분지 도시라는 것도 이 책을 통해 새롭게 알게 되었다.

> 대구는 주변이 산으로 둘러싸인 대표적인 분지 도시로, 여름과 겨울의 기온 차이가 크다는 것을 이 책을 통해 새롭게 알게 되었다.

힌트   보기 의 두 가지 내용 중 어떤 내용을 써넣어도 답이 될 수 있습니다.

3일 책 내용 정리하기 ②

기찬
난 어제 『조상들의 지혜, 한지』라는 책을 읽었는데 너무 인상 깊었어.

글봇
나도 그 책 읽어 봤어.

달래
그럼 둘 다 인상 깊었던 점을 중심으로 책 내용을 정리해 봐.

여러분, 저는 텔레비전에서 한지박물관의 모습을 보고 한지에 대해 더 알고 싶어서 책을 찾아 읽었어요. 오늘은 책을 읽고 인상 깊었던 점을 중심으로 책 내용을 정리해 볼까요?

I ☺ 입력

인상 깊었던 점을 중심으로 책 내용을 정리해라!

정보를 전달하는 책을 읽고 독서 감상문에 들어갈

책 내용을 정리할 때에는 먼저 어떤 대상을 설명하고 있는지 찾아보고,

책을 읽으면서 인상 깊었던 점을 중심으로 정리할 수도 있어요.

이때, 그 부분이 왜 인상 깊었는지 까닭을 함께 쓰면 좋아요.

▶ 정답 및 해설 4쪽

1주

● 독서 감상문을 쓸 때 책 내용을 정리하는 방법에 맞게 빈칸에 알맞은 말을 쓰고, 퍼즐판에서 찾아
○표를 하세요.

먼저 어떤 대상을
❶ 설 명 하고 있는지 찾아봐요.

책을 읽으면서 ❷ ☐ ☐
깊었던 점을 중심으로 정리해요.

인	상	기	까
자	리	차	닭
주	설	명	발
황	새	집	린

이때, 그 부분이 왜 인상 깊었는지
❸ ☐ ☐ 을 함께 써요.

● 다음을 읽고, 인상 깊었던 점을 중심으로 책 내용을 정리하여 쓰세요.

조상들의 지혜, 한지

우수한 우리 한지

우리나라의 한지는 질기고 부드러워서 중국에서도 인기 있는 종이였대요.

한지는 주로 섬유질이 길고 질긴 닥나무의 껍질로 만들어요.

닥나무 껍질을 삶을 때 잿물을 사용하면 더욱 질기고 오래가도록 만들 수 있대요. 한지는 천 년 이상 보존할 수 있을 정도로 오래가는 우수한 종이인데, 한지의 우수성을 증명해 주는 종이 유물인 '무구 정광 대다라니경'을 보면 알 수 있어요.

한지는 다듬잇방망이 같은 걸로 두드려서 만들기 때문에 만지면 부드러운 느낌이 들어요.

질긴 한지는 쓸 데도 많지

우리 조상들은 한지의 좋은 점을 살려 일상 생활에 활용했어요.

한지는 바람과 추위를 잘 막아 주어 방을 따뜻하게 해 주기 때문에 방 안의 벽에 바르는 것은 물론 방문이나 창문에도 한지를 발랐어요. 이때 한지는 햇빛이 은은하게 스며들게 하고, 방 안의 습도도 조절해 주는 역할을 했지요.

한지는 가볍고 질겨서 부채를 만들 때도 사용했어요. 또 한지를 여러 겹 풀칠로 덧대어 반짇고리나 필통 등의 생활용품도 만들었어요.

어휘 풀이

▼ **잿물** 옛날에 주로 빨래할 때 썼던, 짚이나 나무를 태운 재를 우려낸 물.

예 시골에 계신 할머니께서는 가끔씩 빨래를 할 때 잿물을 사용하신다.

▼ **보존**|보전할 보 保, 있을 존 存| 중요한 것을 잘 보호하여 그대로 남김.

예 우리는 문화재를 잘 보존할 수 있도록 노력해야 한다.

▼ **스며들게** 빛이나 기체, 액체 등이 틈새로 들어오거나 배어들어 퍼지게.

예 한지에 먹물이 천천히 스며들게 그냥 두어라.

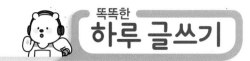
낱말 쓰기

1 단계

다음은 『조상들의 지혜, 한지』를 읽고 인상 깊었던 점이에요. 빈칸에 알맞은 낱말을 쓰세요.

한지의 **우수성**에 대해 설명해 주는 부분이 인상 깊었어.

한지에 대한 설명 중 가장 인상 깊었던 것은 한지의 ⬚⬚⬚ 에 대한 부분이었다.

문장 쓰기

2 단계

보기 의 말을 이용하여 책 『조상들의 지혜, 한지』의 내용을 한 문장으로 정리하세요.

보기

무구 정광 대다라니경   우수성을 증명해 주는

▲ 무구 정광 대다라니경

한지의 ⬚⬚⬚⬚⬚
종이 유물로는 '⬚⬚⬚⬚⬚⬚⬚⬚'이
있다.

한 편 쓰기

3 단계

1 과 **2** 에서 쓴 내용을 넣어 인상 깊었던 점을 중심으로 책 내용을 정리해 보세요.

이 책은 우리나라 고유의 종이인 한지의 우수성과 쓰임에 대해 설명하고 있다.

❶ _____

_____

닥나무 껍질로 만든 한지는 질기고 부드럽다고 하였다. 그리고 천 년 이상 보존할 수 있

을 정도로 오래간다고 하였다. ❷ _____

_____

얼마 전에 박물관에 가서 '무구 정광 대다라니경'을 본 것이 떠올라 더욱 반가웠다.

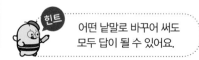
1 다음 밑줄 그은 낱말을 뜻이 비슷한 다른 낱말로 고쳐 쓰려고 해요. 보기 에서 낱말을 골라 바꿔 쓰세요.

낱말
고쳐쓰기

보기

| 겹쳐 | 여러 사물이나 내용을 서로 한데 포개어. |
| 포개어 | 놓인 것 위에 또 놓아. |

힌트
어떤 낱말로 바꾸어 써도
모두 답이 될 수 있어요.

한지를 여러 겹 풀칠로 <u>덧대어</u> 반짇고리나 필통 등의 생활용품도 만들었어요.

한지를 여러 겹 풀칠로 [ ] 반짇고리나 필통 등의 생활용품도 만들었어요.

2 다음 친구가 쓴 문장 에서 밑줄 그은 부분을 바르게 고치고, 문장을 따라 쓰세요.

문장
고쳐쓰기

친구가 쓴 문장

한지는 <u>다듬이방망이</u> 같은 걸로 두드려서 만들기 때문에 만지면 부드러운 느낌이 들어요.

↓

한	지	는	∨								∨	같	은	∨
걸	로	∨	두	드	려	서	∨	만	들	기	∨	때	문	
에	∨	만	지	면	∨	부	드	러	운	∨	느	낌	이	∨
들	어	요	.											

힌트
순우리말인 '다듬이'와 '방망이'가 합쳐져
한 낱말이 될 때에는 사이에 'ㅅ'을 더해 써요.

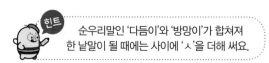

▶ 정답 및 해설 4쪽

○ 다음 대화를 읽고, 인상 깊었던 점을 중심으로 책 내용을 정리하여 쓰세요.

『조상들의 지혜, 한지』에서 한지의 쓰임에 대해 설명한 부분을 재미있게 읽었다.

옛날에 조상들은 한지가 ❶ _____

_____ 주기 때문에 방문이나 창문에 발랐다.

특히 한지가 ❷ _____

_____을 한다고

한 부분이 가장 인상 깊었다. 예전에 한옥 마을에 갔을 때 창문과 방문에 종이를 바른 것이 신기하다고 생각한 적이 있었는데 이제 이해가 되었기 때문이다.

 힌트 기찬이가 『조상들의 지혜, 한지』라는 책에서 인상 깊게
읽었던 부분을 살펴보고, 책 내용을 정리해 보세요.

4_일 생각이나 느낌 쓰기

글봇
한지로 만든 인형이라니 놀랍다.

기찬
한지는 정말 쓰임이 다양한 신기한 종이야.

달래
기찬이는 그럼 『조상들의 지혜, 한지』를 읽고 알게 된 한지의 쓰임에 대한 생각이나 느낌을 정리해 봐.

와~, 한지로 만든 닥종이 인형이에요.
한지의 쓰임은 무궁무진하네요.
오늘은 『조상들의 지혜, 한지』를
읽고 난 후의 생각이나 느낌을 써 봐요.

I ☺ 입력

독서 감상문에 생각이나 느낌을 써라!

독서 감상문에 들어갈 생각이나 느낌을 쓸 때에는

책을 읽고 난 후의 전체적인 생각이나 느낌을 써요.

또 더 알고 싶은 내용이나 책을 읽고 난 뒤의 자신의 생각 변화 등을 정리해서 써요.

책의 내용과 연관 지어서 자신의 다짐을 써도 좋아요.

똑똑한
하루 글쓰기 미리 보기

▶ 정답 및 해설 5쪽

● 사다리 타기를 하여 도착한 곳의 낱말을 따라 쓰며, 독서 감상문에 생각이나 느낌을 쓰는 방법을 알아보아요.

1주

책을 읽고 난 후의 전체적인 ○○이나 느낌을 써요.

더 알고 싶은 내용이나 책을 읽고 난 뒤의 자신의 생각 ○○ 등을 정리해서 써요.

책의 내용과 연관 지어서 자신의 ○○을 써도 좋아요.

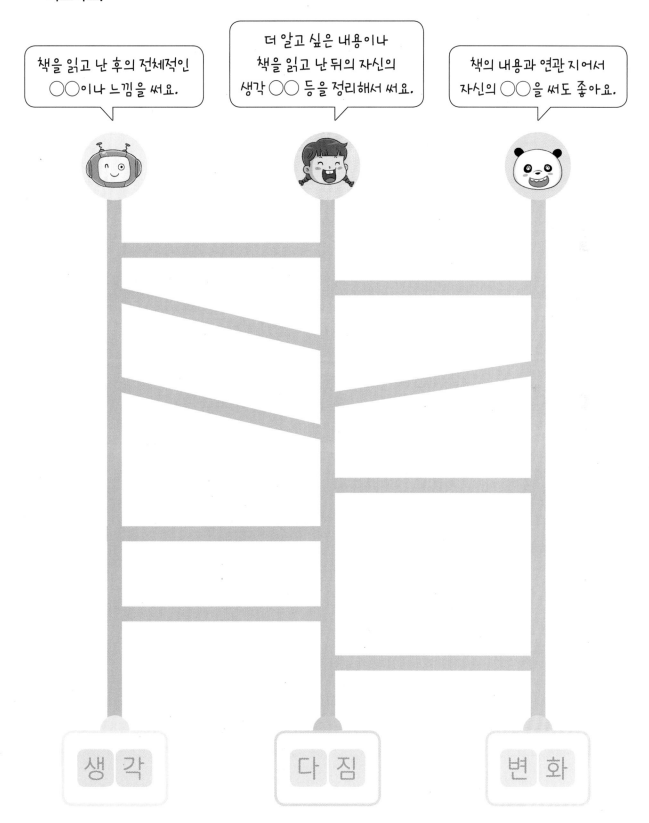

생 각

다 짐

변 화

● 다음을 보고, ㉠에 들어갈 생각이나 느낌을 쓰세요.

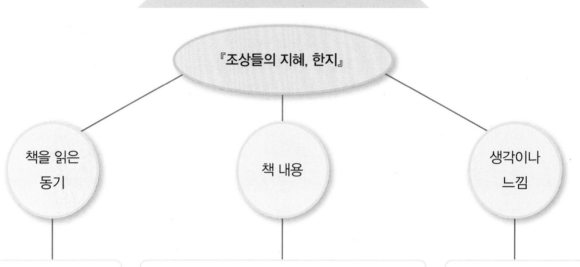

독서 감상문을 쓰기 위해 떠올린 내용

『조상들의 지혜, 한지』

책을 읽은 동기

책 내용

생각이나 느낌

학교에서 한지박물관으로 체험학습을 가게 되었는데, 체험학습을 가기 전에 한지에 대해 ▽상세하게 알아보고 싶어서 읽게 되었음.

▲ 한지박물관

• 우리나라 ▽고유의 종이인 한지의 쓰임에 대해 설명하고 있음.
• 옛날에 조상들은 한지가 바람과 추위를 잘 막아 주어 방을 따뜻하게 해 주기 때문에 방문이나 창문에 발랐음.
• 한지가 햇빛이 은은하게 스며들게 하고, 방 안의 습도도 조절해 주는 역할을 한다고 함.
• 천 년 이상 보존할 수 있을 정도로 오래가는 한지로 다양한 생활용품도 만들었음.

▲ 한지로 만든 반짇고리

㉠

🐭 **어휘 풀이**

▽**상세**|자세할 상 詳, 가늘 세 細|**하게** 아주 자세하고 꼼꼼하게.

  ㉔ 선생님께서 수업 시간에 상세하게 설명해 주셔서 이해가 되었다.

▽**고유**|굳을 고 固, 있을 유 有| 한 사물이나 집단 등이 본래부터 지니고 있는 특별한 것.

  ㉔ 김치는 우리나라 고유의 음식이다.

▶정답 및 해설 5쪽

낱말 쓰기

1단계 다음은 『조상들의 지혜, 한지』를 읽고 난 후의 생각이나 느낌을 쓴 것이에요. 빈칸에 알맞은 말을 쓰세요.

한지가 바람과 추위를 잘 막아 주고 방 안의 습도도 조절해 준다는 점에서 창문과 방문에 한지를 바른 것이 ☐☐☐ 이라는 생각이 들었다.

문장 쓰기

2단계 보기 의 말을 이용하여 『조상들의 지혜, 한지』를 읽고 난 후의 생각이나 느낌을 한 문장으로 쓰세요.

┌─ 보기 ──────────────────────────────┐
│ 알아보고   놀라웠고   한지박물관에   한지의 기능 │
└────────────────────────────────────┘

☐☐☐☐☐☐ 이 좋아서 ☐☐☐☐☐☐ , 빨리

☐☐☐☐☐ 가서 한지에 대해 더 ☐☐☐☐ 싶다는

생각이 들었다.

한 편 쓰기

3단계 **1**과 **2**에서 쓴 내용을 바탕으로 독서 감상문에 들어갈 생각이나 느낌을 쓰세요.

한지가 바람과 추위를 잘 막아 주고 ❶ _____

_____

❷ _____

_____

_____

▶ 정답 및 해설 5쪽

1
낱말
고쳐쓰기

다음 문장에서 고유 를 뜻이 비슷한 다른 낱말로 고쳐 쓰려고 해요. 보기 에서 골라 바꿔 쓰세요.

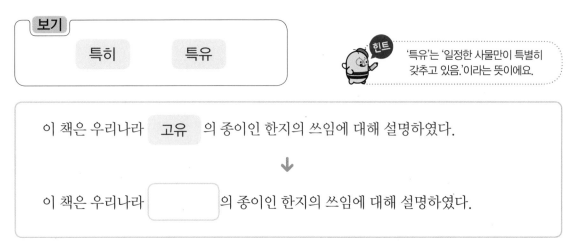

보기

특히   특유

힌트 '특유'는 '일정한 사물만이 특별히 갖추고 있음.'이라는 뜻이에요.

이 책은 우리나라 고유 의 종이인 한지의 쓰임에 대해 설명하였다.

↓

이 책은 우리나라 [ ] 의 종이인 한지의 쓰임에 대해 설명하였다.

2
문장
고쳐쓰기

다음 친구가 쓴 문장 에서 밑줄 그은 부분의 띄어쓰기를 바르게 고치고, 문장을 따라 쓰세요.

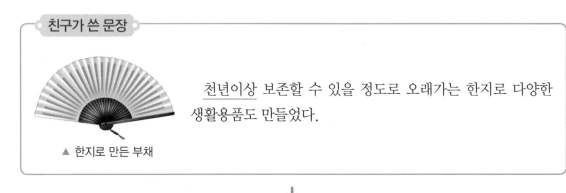

친구가 쓴 문장

천년이상 보존할 수 있을 정도로 오래가는 한지로 다양한 생활용품도 만들었다.

▲ 한지로 만든 부채

↓

		∨		∨			∨	보	존	할	∨	수	∨
있	을	∨	정	도	로	∨	오	래	가	는	∨	한	지
로	∨	다	양	한	∨	생	활	용	품	도	∨	만	들
었	다	.											

힌트 해를 세는 단위인 '년'은 수를 나타내는 한자어 뒤에서 띄어 써야 해요. '수량이나 정도가 일정한 기준을 포함하여 그보다 많거나 나은 것.' 이라는 뜻의 '이상'은 앞의 말과 띄어 써요.

▶ 정답 및 해설 5쪽

● 다음은 『미래 식량, 곤충』을 읽고 쓴 독서 감상문이에요. 보기 에서 생각이나 느낌이 드러난 문장을 골라 독서 감상문을 완성해 보세요.

『미래 식량, 곤충』을 읽고

인터넷으로 동영상을 보다가 우연히 식용 곤충에 대한 영상을 보게 되었는데 식용 곤충에 대해 더 알아보고 싶어서 『미래 식량, 곤충』이라는 책을 찾아 읽게 되었다.

이 책은 미래 식량의 대안인 식용 곤충의 좋은 점, 식용 곤충을 이용한 다양한 음식 등에 대해 소개해 주고 있다. 식용 곤충은 단백질 함유량이 높고 탄수화물과 지방, 비타민 등 각종 영양소가 들어 있으며 가축보다 좁은 공간에서 한 번에 많이 키울 수 있다는 장점이 있다고 하였다. 그리고 요즘 식용 곤충으로 어묵, 햄버거 패티, 쿠키, 돈가스 등 다양한 음식을 만들어서 판매하고 있다고 하였다.

▲ 식용 곤충으로 만든 음식

이 책을 읽고 내가 그동안 알지 못했던 식용 곤충의 좋은 점과 식용 곤충으로 만든 다양한 음식이 있다는 것을 새롭게 알게 되어서 좋았다.

보기

작은 곤충이 영양가가 좋고 미래에 식량으로 쓰인다고 하니 신기하고, 기회가 되면 나도 먹어 보고 싶다.

곤충으로 다양한 음식을 만들 수 있다니 놀랍고, 우리 학교 급식으로 가끔씩 나오면 좋겠다는 생각이 들었다.

힌트 보기 에서 두 가지 내용 중 마음에 드는 것을 골라 쓰세요. 어떤 내용을 넣어도 모두 답이 될 수 있어요.

5일 독서 감상문 쓰기

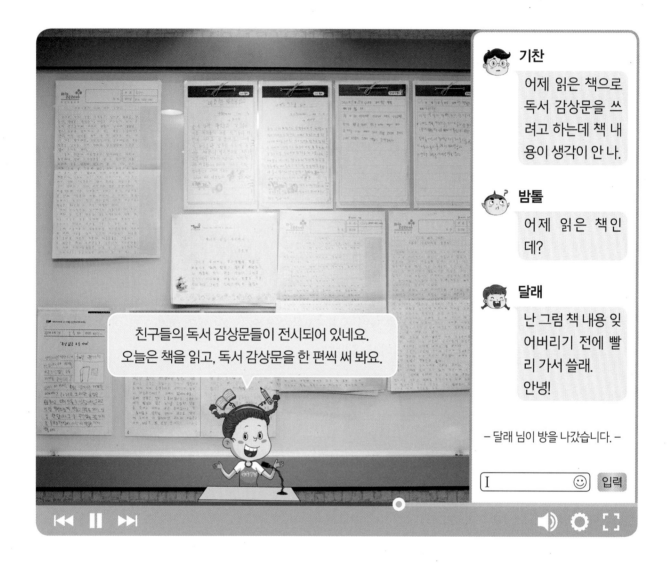

친구들의 독서 감상문들이 전시되어 있네요.
오늘은 책을 읽고, 독서 감상문을 한 편씩 써 봐요.

기찬
어제 읽은 책으로 독서 감상문을 쓰려고 하는데 책 내용이 생각이 안 나.

밤톨
어제 읽은 책인데?

달래
난 그럼 책 내용 잊어버리기 전에 빨리 가서 쓸래. 안녕!

– 달래 님이 방을 나갔습니다. –

I ☺ 입력

한 편의 독서 감상문을 써라!

독서 감상문을 쓸 때에는 먼저, 읽으면서 여러 가지 생각을 한 책을 골라요.

그리고 책을 왜 읽게 되었는지 책을 읽은 동기를 써요.

그런 다음 새롭게 안 내용이나 인상 깊은 부분을 중심으로 책 내용을 정리해요.

마지막으로 생각이나 느낌을 써요.

● 독서 감상문을 쓰는 방법에 맞게 빈칸에 알맞은 말을 따라 쓰세요.

- 먼저, 읽으면서 여러 가지 생각을 한 책 을 골라요.

- 책을 왜 읽게 되었는지 책을 읽은 동 기 를 써요.

- 새롭게 안 내용이나 인 상 깊은 부분을 중심으로 책 내 용 을 정리해요.

- 생 각 이나 느 낌 을 써요.

● 위에서 따라 쓴 말을 모두 찾아 색칠해 보고, 어떤 모양이 나오는지 알아보아요.

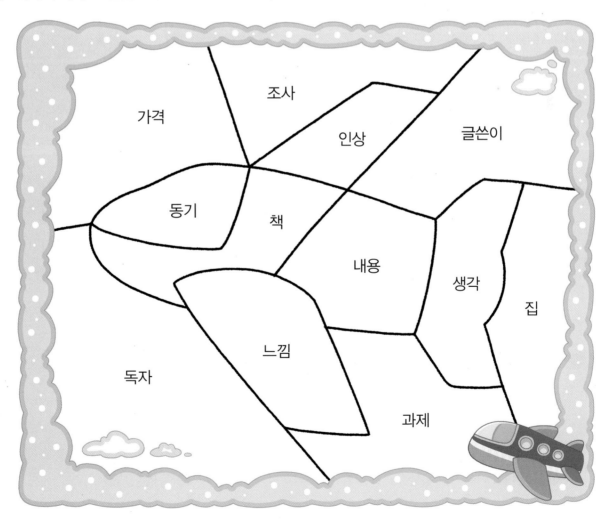

● 다음 편지를 읽고, 독서 감상문에 들어갈 내용을 쓰세요.

희수에게

희수야, 안녕? 전학 간 학교에서는 잘 지내고 있지?

오늘은 너에게 좋은 책을 소개해 주고 싶어서 이렇게 편지를 써. 이 책은 얼마 전에 학교 도서관에서 우연히 읽게 되었는데 사진과 그림도 많고 재미있었어.

『화려하고 맛있는 궁중 음식』이라는 책인데 임금의 밥상인 수라상과 화려한 궁중 음식에 대해 설명하고 있어.

임금님의 수라상에는 기본 반찬 외에 열두 가지 반찬이 차려진다고 하는데 반찬이 많이 올라가서 놀랐어. 그리고 수라상 옆에서는 상궁이 음식에 이상이 없는지 확인하고 시중을 든대.

화려한 궁중 음식에는 대표적으로 신선로와 탕평채가 있어. 신선로는 상 위에 놓고 바로 요리해서 먹을 수 있는 궁중 전골 요리인데 찌개처럼 보여. 탕평채는 청포묵을 가늘게 썰어서 볶은 고기, 미나리, 김과 함께 버무린 묵 요리인데 맛도 좋아 보이고 빛깔도 아름다웠어.

▲ 신선로

▲ 탕평채

책을 읽으면서 음식에 관심이 많은 네가 계속 떠올랐어.

그럼 책을 읽고 나에게 어땠는지 말해 줘. 잘 지내.

20○○년 9월 20일

지온이가

🐭 **어휘 풀이**

▼ **수라상**|물 수 水, 어그러질 랄 剌, 평상 상 床| 궁중에서, 임금에게 올리는 밥상을 높여 이르던 말.
  예) 임금님 수라상에는 많은 반찬이 올라간다.

▼ **이상**|다를 이 異, 항상 상 常| 정상적인 것과 다름. 예) 운동을 무리하게 해서 몸에 이상이 생겼다.

▼ **시중** 옆에서 여러 가지 심부름을 하는 일. 예) 하루 종일 아버지의 시중을 들었다.

낱말 쓰기

다음을 보고, 희수가 『화려하고 맛있는 궁중 음식』을 읽은 동기를 쓰세요.

편지에 소개된 책을 나도 읽어 봐야겠어.

희수

친구가 [ ] [ ] 로 재미있게 읽었다며 소개해 주어서 나도 궁금해서 읽게 되었다.

문장 쓰기

보기 의 말을 이용하여 『화려하고 맛있는 궁중 음식』의 책 내용을 정리하여 두 문장으로 쓰세요.

보기

가늘게 　　　 궁중 음식 　　　 썰어 　　　 청포묵을

❶ 　　책은 수라상과 화려한 　　　　　　　　　 에 대해 소개하고 있다.

❷ 　　대표적인 궁중 음식 중 신선로는 전골 요리이고, 탕평채는

　　　　　　　　　　　　다른 재료와 함께 버무려 먹는 음식이다.

한 편 쓰기

『화려하고 맛있는 궁중 음식』을 읽고, '생각이나 느낌' 부분에 들어갈 내용을 보기 에서 골라 쓰세요.

보기

　　다양한 궁중 음식을 사진으로 볼 수 있어서 좋았고, 나중에 부모님과 함께 만들어서 먹어 보고 싶다는 생각이 들었다.

　　보기에도 좋고 영양가도 많은 우리의 소중한 전통 음식을 잘 보존하고 전승하면 좋겠다는 생각이 들었다.

▶ 정답 및 해설 6쪽

1 다음 문장에서 밑줄 그은 낱말을 바르게 고쳐 쓰세요.

낱말
고쳐쓰기

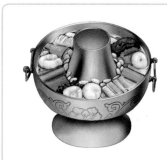

신선로는 상 위에 놓고 바로 요리해서 먹을 수 있는 궁중 전골 요리인데 찌게처럼 보여.

찌 게 → ⬚⬚

힌트 국물을 적게 하여 고기 · 채소 · 두부 따위를 넣고, 간장 · 된장 · 고추장 따위를 쳐서 갖은양념을 하여 끓인 반찬.'이라는 뜻의 낱말을 바르게 고쳐 써 봐요.

2 달래의 말에서 밑줄 그은 부분의 낱말을 바르게 고치고, 문장을 따라 쓰세요.

문장
고쳐쓰기

탕평채는 청포묵을 가늘게 썰어서 뽁은 고기, 미나리, 김과 함께버무린 묵 요리인데 맛도 좋아 보이고 빗깔도 아름다웠어.

탕	평	채	는	∨	청	포	묵	을	∨	가	늘	게	∨
				∨			∨	고	기	,	미	나	리	,
김	과	∨	함	께	∨	버	무	린	∨	묵	∨	요	리
인	데	∨	맛	도	∨	좋	아	∨	보	이	고	∨	
	도	∨	아	름	다	웠	어	.					

똑똑한 하루 글쓰기 마무리

내 생각 쓰기로 하루 마무리

1주

◐ 읽으면서 여러 가지 생각을 한 책을 한 권 골라 독서 감상문을 써 보세요.

책 제목	
책을 읽은 동기	
책 내용	
생각이나 느낌	

힌트

먼저 어떤 책으로 독서 감상문을 쓸지 정한 후에
책을 읽은 동기를 쓰고, 새롭게 알게 된 점이나
인상 깊었던 점을 중심으로 책 내용을 정리해요.
마지막으로 책을 읽은 후의 생각이나 느낌을 써요.

다음 만화를 보며 속담의 뜻을 알아보고, 상황에 맞게 속담을 써 보세요.

떡 줄 사람은 꿈도 안 꾸는데
김칫국부터 마신다

1
주

속담의 뜻을 알아봐요!

떡 줄 사람은 꿈도 안 꾸는데 김칫국부터 마신다

이 속담은 "<u>해 줄 사람은 생각지도 않는데</u>

<u>미리부터 다 된 일로 알고 행동한다.</u>"라는 뜻이랍니다.

이제 이 속담을 넣어 상황에 맞게 써 볼까요?

더니 동생은 내 옷을 마음대로 가지려고 했다.

제헌이가 독서 감상문 쓰기 숙제를 하기 위해 도서관에 책을 빌리러 가고 있어요. 낱말의 뜻을 잘 살펴보며 도서관으로 가는 길을 선으로 이어 보세요.

● 다음은 『날씨는 변덕쟁이야』에 나온 우리 조상들이 더위와 추위를 이겨 내기 위해 사용한 것들이에요. 각각의 물건들이 쓰이는 계절에 맞게 빈칸에 알맞은 말을 쓰세요.

'죽부인'은 대나무로 만든 것으로 안고 자면 바람이 잘 통해 시원해요.

'풍차'는 겨울에 귀와 뺨, 턱을 가리는 따뜻한 모자예요.

▲ 죽부인

▲ 풍차

▲ 등등거리

솜을 넣은 '버선'은 겨울에 신으면 따뜻하고, '설피'는 눈이 왔을 때 발이 눈에 빠지지 않도록 신 바닥에 대는 넓적한 덧신이예요.

'등등거리'는 등나무로 만든 조끼로 여름에 땀이 배지 않게 해 주고, '부채'는 더울 때 손으로 흔들어 바람을 일으켜요.

▲ 버선

▲ 설피

▲ 부채

 우리 조상들은 더운 여름을 나기 위해서 [ ][ ][ ], 부채, [ ][ ][ ]

[ ] 등을 사용했고, 추운 겨울을 나기 위해서 솜을 넣은 버선, 설피, [ ][ ] 등을

사용했어요.

융합
국어+사회

『날씨는 변덕쟁이야』의 내용을 생각하며 우리 조상들이 **더위와 추위를 이겨 내기 위해 사용한 물건들**에 대해 알아봅니다.

● 서윤이가 한지박물관에 가서 관람을 하고 마지막으로 한지 만들기 체험을 하려고 해요. 다섯 개의 전시관을 모두 관람하고 한지 만들기 체험장까지 갈 수 있도록 코딩 카드의 빈칸에 알맞은 숫자를 각각 쓰세요.

 코딩   책 『조상들의 지혜, 한지』의 내용을 떠올리며 다섯 개의 전시관을 모두 관람하고 한지 만들기 체험장까지 가려면 어떻게 해야 하는지 **코딩 카드를 완성**해 봅니다.

1
주

◉ 다음은 임금님의 밥상인 수라상의 모습이에요. 수라상에 대한 설명을 살펴보고, 숨은 그림을 모두 찾아 ○표를 하세요.

〈임금님 밥상, 수라상〉

수라상에는 밥, 국, 찌개 등의 기본 음식 외에 갖가지 귀하고, 가장 좋은 재료로 만든 반찬이 열두 가지나 올랐어요. 수라상은 붉은색의 동그랗고 큰 상과 작은 상, 네모난 곁상 등 세 개의 상을 한꺼번에 차렸어요. 곁상은 한 상에 다 차리지 못하여 덧붙여 차리는 작은 상을 말해요. 그리고 전골을 끓이기 위해서 화로와 전골 틀도 같이 준비했어요. 수라상 옆에서는 상궁이 음식에 이상이 없는지 확인하고 시중을 들었어요.

 숨은 그림: 삼각자, 책, 연필, 은행잎, 줄넘기

 창의   수라상에 대한 설명을 읽고 **숨은 그림**을 모두 찾아 표시해 봅니다.

1 다음 빈칸에 알맞은 말을 골라 ○표를 하세요.

> 독서 감상문에는 책을 읽은 동기, ☐ ☐☐, 책을 읽은 후의 생각이나 느낌이 들어가요.

(책 내용 , 책 가격)

[2~3] 다음은 독서 감상문의 일부분이에요. 잘 읽고, 물음에 답하세요.

> 심심해서 학교 도서관에서 책을 고르다가 『날씨는 ㉠변덕장이야』라는 책을 읽었다. 날씨를 '㉠변덕장이'라고 한 것이 재미있어서 관심이 갔기 때문이다.

2 이 글은 독서 감상문에 들어갈 내용 중 무엇에 해당하는지 ○표를 하세요.

(1) 책 내용 ( )

(2) 책을 읽은 동기 ( )

(3) 책을 읽은 후의 생각이나 느낌 ( )

3 ㉠을 알맞은 낱말로 고쳐 쓰세요.

변덕장이 → ☐☐☐☐

[4~6] 다음 글을 읽고, 물음에 답하세요.

> ㈎ 국제 연합의 전문 ㉠기구 중 많이 알려진 '유니세프'는 ㉡도움이 필요한 어린이가 있는 곳이면 어디든지 달려가 도움의 손길을 전해요.
>
> ㈏ 민간단체들도 지구촌의 문제를 해결하기 위해 나서고 있어요. '국경 없는 의사회'는 전쟁이나 전염병, 가뭄, 지진, 홍수 등으로 고통을 받는 사람들을 찾아가 아픈 곳을 고쳐 주고 ㉢각종 약을 전해 주고 있어요. '그린피스'는 전 세계에 약 400만 명의 회원을 두고, 핵무기 ㉣반대와 환경 ㉤보호를 위해 활발하게 활동하며 세계적인 환경 운동을 이끌고 있어요.

4 ㉠~㉤ 중 다음의 뜻을 가진 낱말은 무엇인가요? ( )

> 많은 사람이 모여 공공의 목적을 위해 구성한 조직이나 기관.

① ㉠ ② ㉡ ③ ㉢

④ ㉣ ⑤ ㉤

5 이 글은 무엇에 대해 설명하고 있는지 알맞은 것에 ○표를 하세요.

(1) 우리나라의 환경 문제에 대해 소개하고 있다. ( )

(2) 여러 가지 국제기구들에 대해 소개하고 있다. ( )

▶ 정답 및 해설 8쪽

점수

6 다음은 새롭게 알게 된 점을 중심으로 책 내용을 정리한 것이에요. 빈칸에 알맞은 낱말을 써서 문장을 완성하고, 따라 쓰세요.

> 텔레비전 광고를 통해 이미 알고 있던 '유니세프' 외에

'	국	경	∨	없	는	∨	의
사	회	'	,		'		
		'	∨	등	∨	다	양	한
국	제	기	구	들	이	∨	있
다	는	∨	것	을	∨	알	게
되	었	다	.				

[7~8] 다음은 독서 감상문의 일부분이에요. 잘 읽고, 물음에 답하세요.

『조상들의 지혜, 한지』는 우리나라 고유의 종이인 한지에 대해 설명하고 있다. 한지에 대한 설명 중 가장 인상 깊었던 것은 ⊙ 에 대한 부분이었다.

닥나무 껍질로 만든 한지는 질기고 부드럽다고 하였다. 그리고 천 년 이상 보존할 수 있을 정도로 오래간다고 하였다. 한지의 우수성을 증명해 주는 종이 유물로는 '무구 정광 대다라니경'이 있다. 얼마 전에 박물관에 가서 '무구 정광 대다라니경'을 본 것이 떠올라 더욱 반가웠다.

▲ 무구 정광 대다라니경

7 ⊙ 안에 들어갈 알맞은 말을 골라 따라 쓰세요.

> 한 지 의 쓰 임
> 한 지 의 우 수 성

8 이 글에 대해 알맞게 말한 사람은 누구인지 이름을 쓰세요.

> 희수: 독서 감상문에 들어갈 내용 중 책을 읽은 동기를 쓴 부분이야.
> 서윤: 책을 읽으면서 인상 깊었던 점을 중심으로 책 내용을 정리한 것이야.

( )

9 『조상들의 지혜, 한지』를 읽고 독서 감상문을 쓸 때, '생각이나 느낌' 부분에 들어갈 내용을 바르게 쓴 친구의 이름을 쓰세요.

> 수혁: 학교에서 한지박물관으로 체험학습을 가게 되었는데 한지에 대해 먼저 알아보고 싶어서 읽게 되었다.
> 지수: 친구들에게 한지의 우수성을 알리고 싶고, 우리 주변에서도 한지를 많이 활용하면 좋겠다는 생각이 들었다.

( )

10 독서 감상문을 쓸 때 가장 먼저 할 일로 알맞은 것에 ○표를 하세요.

(1) 책 고르기 ( )
(2) 책 내용 정리하기 ( )
(3) 생각이나 느낌 쓰기 ( )

1
주

학급 신문 기사를 써 보자!

1-1 학급 신문에 대한 설명으로 알맞은 것을 골라 ○표를 하세요.

(1) 가족에게 있었던 일을 담아 가정에서 만든 신문이다. ( )

(2) 오늘 있었던 일과 그 일에 대한 생각이나 느낌을 쓴 글이다. ( )

(3) 반에서 있었던 일이나 소식 따위를 담아 학급에서 만든 신문이다. ( )

1-2 다음 친구는 어떤 글을 쓰려고 하는지 보기 에서 알맞은 말을 골라 빈칸에 쓰세요.

신문 기사

▶ 정답 및 해설 9쪽

2-1 학급 신문 기사 내용을 쓰는 방법을 알맞게 말한 친구에게 ○표를 하세요.

(1) (　　　　　)　　　　　(2) (　　　　　)

2-2 다음은 학급 신문 기사 내용의 일부분이에요. 잘 읽고, 학급 신문 기사 내용을 쓰는 방법으로 알맞은 말을 빈칸에 써넣으세요.

　6월 18일 개교기념일을 축하하기 위해 학교에서 그림 그리기 대회가 열렸다. 반 친구들은 교실에서 '우리 학교'를 주제로 그림을 그렸다.

→ 학급 신문 기사를 쓸 때에는 '언제, 어디에서, 누가, 　□　○　○　, 어떻게, 왜'의 내용이 잘 드러나게 써요.

기사 내용 정하기

학급에서 있었던 일을 떠올려 기사로 쓸 내용을 정해라!

학급 신문은 반에서 있었던 일이나 소식 따위를 담아 학급에서 만든 신문이에요.

학급 신문 기사를 쓰기 위해서는 가장 먼저 어떤 내용을 기사로 쓸지 정해야 해요.

반에서 있었던 일들을 떠올려 그중 가장 알리고 싶은 일을 골라 보아요.

그리고 그 일을 기사로 쓰려는 까닭도 함께 정리해 보아요.

● 학급 신문에 쓸 기사 내용을 정하는 방법에 맞게 빈칸에 알맞은 말을 쓰고, 퍼즐판에서 찾아 ○표를 하세요.

> 학급 신문은 반에서 있었던 일이나 소식 따위를 담아 ❶ ☐☐ 에서 만든 신문이에요.

> 반에서 있었던 일들을 떠올려 그중 가장 ❷ ☐☐☐ 싶은 일을 골라 보아요.

학	급	밤	각
별	잠	수	알
들	도	찬	리
까	닭	워	고

> 그 일을 기사로 쓰려는 ❸ ☐☐ 도 함께 정리해요.

1일 기사 내용 정하기

● 다음은 서진이가 5월 한 달 동안 학급에서 있었던 일을 떠올린 것이에요. 잘 읽고, 학급 신문에 기사로 쓸 내용을 정해 정리해 보세요.

2일에 독서 행사가 열려 우리 반 친구들과 도서관에 가서 여러 가지 독서 활동을 했어. 책을 읽고 퀴즈를 풀어 선물을 받았던 게 생각나.

12일에는 체육 시간에 운동장에서 체력 검사를 위한 오래달리기를 했어. 운동장을 여섯 바퀴나 돌았지. 달리기를 끝내고 우리 반 친구들은 모두 땅에 드러누워 버렸어.

21일에 열린 교내 합창 대회에 나가 봄을 주제로 한 노래를 불러 우승을 했어. 반 친구들 모두가 매일 연습을 하며 열정적으로 참여한 활동이었어.

🐭 어휘 풀이

▼ **행사**|다닐 행 行, 일 사 事|　어떤 일을 시행함. 또는 그 일.
　　㉽ 5월에는 기념일이 많아 여러 **행사**가 예정되어 있다.
▼ **열정적**|더울 열 熱, 뜻 정 情, 과녁 적 的|　어떤 일에 뜨거운 애정을 가지고 열심히 하는 것.
　　㉽ 그는 체육 수업에 <u>열정적</u>으로 참여했다.

낱말 쓰기

다음 그림을 보고, 서진이가 기사 내용에 어떠한 일을 쓰기로 했을지 보기 에서 알맞은 낱말을 골라 빈칸에 각각 쓰세요.

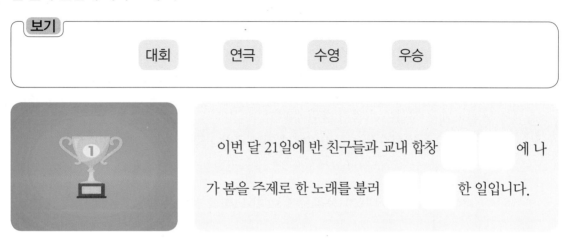

보기

| 대회 | 연극 | 수영 | 우승 |

이번 달 21일에 반 친구들과 교내 합창 □□ 에 나가 봄을 주제로 한 노래를 불러 □□ 한 일입니다.

문장 쓰기

다음 그림을 보고, 서진이가 1에서의 일을 기사로 쓰려는 까닭은 무엇인지 빈칸에 알맞은 말을 쓰세요.

매일 연습을 하는데도 모두 **열정적으로** **참여**하는구나.

반 친구들 모두가 □□□□ 하며 □□□ 한 활동이 었기 때문입니다.

한 편 쓰기

1과 2에서 쓴 내용을 넣어 서진이가 기사 내용으로 정한 일과 그 일을 기사 내용으로 정한 까닭을 쓰세요.

❶ _____

_____

을 기사로 쓸 거야. 왜냐하면 ❷ _____

_____ 활동이었기 때문이야.

서진

1
낱말
고쳐쓰기

다음 문장에서 밑줄 그은 부분을 뜻이 비슷한 다른 낱말로 바꿔 쓰려고 해요. 보기 에서 뜻이 비슷한 낱말을 골라 바꿔 써 보세요.

> 보기
>
> 참가해   모임이나 단체, 경기, 행사 등의 자리에 가서 함께해.
>   ⑩ 이번 행사에 참가해 주신 모든 분들께 감사드립니다.
>
> 출전해   시합이나 경기 따위에 나가.
>   ⑩ 선수들은 올림픽에 출전해 좋은 성적을 거두었다.

교내 합창 대회에 나가 봄을 주제로 한 노래를 불러 우승을 했어.

→ 교내 합창 대회에 ☐ ☐ ☐ 봄을 주제로 한 노래를 불러 우승을 했어.

힌트   '나가다'는 '모임에 참여하거나, 운동 경기에 출전하거나, 선거 따위에 입후보하다.'라는 뜻으로 쓰이는 낱말이에요. 둘 중 무엇을 골라도 답이 될 수 있어요.

2
문장
고쳐쓰기

다음 친구가 고쳐 쓴 문장 과 같이 밑줄 그은 부분을 바르게 고치고, 문장을 따라 쓰세요.

> 친구가 고쳐 쓴 문장
>
>
>
> 우리 반 친구들과 도서관에 가서 여러가지 독서 활동을 했어.
> → 우리 반 친구들과 도서관에 가서 여러 가지 독서 활동을 했어.

건강을 위해 여러가지 반찬을 골고루 먹어야 한다.

건	강	을	∨	위	해	∨			∨				∨
반	찬	을	∨	골	고	루	∨	먹	어	야	∨	한	다	.

힌트   '가지'는 혼자 쓸 수는 없지만 앞에 오는 말과는 띄어 써야 하는 말이에요.

똑똑한 하루 글쓰기 마무리 — 내 생각 쓰기로 하루 마무리

● 다음 그림을 보고, 성훈이가 기사 내용으로 정한 일과 그 일을 기사 내용으로 정한 까닭이 무엇일지 보기 에서 골라 빈칸에 각각 쓰세요.

보기

학교 화단에서 선생님과 친구들이 함께 우리 반 텃밭을 가꾼 일

학교 뒤뜰에서 우리 반이 상추, 토마토와 같은 여러 작물들을 심은 일

우리 반 모두가 힘을 모아 우리 반만의 소중한 공간을 만들어 본

직접 땅을 파고 물을 주며 작물을 가꿔 본 것은 모두가 처음 해 본

지난주 수요일에 ❶ _____

_____ 을 기사로 써야겠어.

❷ _____

_____ 경험이었기 때문이야.

힌트 그림에 어울리도록 보기 에서 각각 한 가지씩 골라 성훈이가 기사 내용으로 정한 일을 ❶에 쓰고, 그 일을 기사 내용으로 정한 까닭을 ❷에 써 보아요.

있었던 일이 잘 드러나게 기사를 써라!

학급 신문 기사를 쓸 때에는 있었던 일을 정확하게 전달해야 해요.

읽는 사람이 학급에서 있었던 일을 잘 알 수 있도록

'언제, 어디에서, 누가, 무엇을, 어떻게, 왜'의 내용이 잘 드러나게 써 보아요.

이때 거짓으로 지어내거나 상상한 내용이 아닌 사실을 써야 해요.

▶ 정답 및 해설 10쪽

● 그림에 맞는 퍼즐 모양을 찾아 선으로 잇고, 학급 신문 기사 내용을 쓸 때에 들어가야 하는 내용을
알아보아요.

2
주

친구들이
춤을 추고
노래를 부르며
재주를
뽐냈다.

언제,
어디에서,
왜

누가,
어떻게,
무엇을

목요일에
교실에서
장기 자랑 대회
우승을 위해

학급 신문 기사 내용을 쓸 때에 들어가야 하는 내용을 생각해 보며 문장을 따라 쓰세요.

목	요	일	에	∨	교	실	에	서	∨	장	기	∨
자	랑	∨	대	회	∨	우	승	을	∨	위	해	∨	친
구	들	이	∨	춤	을	∨	추	고	∨	노	래	를	∨
부	르	며	∨	재	주	를	∨	뽐	냈	다	.

2_일 기사 내용 쓰기 ①

🔘 다음은 서유가 학급 신문 기사를 쓰기 위해 학급에서 있었던 일을 정리한 것이에요. 내용을 읽고, 있었던 일이 잘 드러나도록 학급 신문 기사 내용을 써 보세요.

언제	12월 17일에
어디에서	학교 강당에서 열린 학예회에서
누가	우리 반 친구들이
무엇을	「팥죽 할멈과 호랑이」 연극을
어떻게	대본부터 의상까지 직접 만들며 준비하여 성공적으로 마쳤다.
왜	친구들과의 소중한 추억을 남기기 위하여

🐭 **어휘 풀이**

▼ **「팥죽 할멈과 호랑이」** 팥죽 할멈이 자기를 잡아먹으려는 호랑이를 송곳, 알밤, 멍석, 지게와 같은 물건들의 도움을 얻어 물리친다는 내용의 옛날이야기.

▼ **의상**|옷 의 衣, 치마 상 裳| 배우나 무용하는 사람들이 연기할 때 입는 옷.
　　㉭ 무대 위 배우들의 <u>의상</u>이 조명에 반짝반짝 빛났다.

낱말 쓰기

1 학급 신문에 들어갈 기념사진을 보고, 빈칸에 알맞은 말을 써서 기사에 들어갈 내용을 완성하세요.

▲ 학예회 연극 성공 기념사진

12월 17일 학교 강당에서 열린 ㅎ ㅇ

ㅎ 에서 우리 반 친구들이 「팥죽 할멈과 호

랑이」 연극을 ㅅ ㄱ 적으로 마쳤다.

문장 쓰기

2 **1**에 이어질 기사의 내용으로 알맞은 말을 보기 에서 각각 골라 쓰세요.

보기

소중한   의상까지   추억   대본부터

이날 연극은 친구들과의 ☐☐☐☐☐☐☐ 을 남기기 위하여 우리 반 친

구들이 ☐☐☐☐☐☐☐ 직접 만들며 준비한 것이다.

한 편 쓰기

3 **1**과 **2**의 내용을 넣어 학급 신문에 들어갈 기사 내용을 완성하세요.

12월 17일 학교 강당에서 열린 ❶ _____

_____

이날 연극은 ❷ _____

_____

　　친구들은 "연극 준비는 힘들었지만, 오늘 공연이 잘 끝나고 나니 너무 기쁘다."며 입을 모았다. 학예회가 마무리된 뒤에도 우리 반 친구들은 연극에 대한 대화를 한참 동안 이어 갔다.

▶ 정답 및 해설 10쪽

1
낱말
고쳐쓰기

다음 밑줄 그은 부분을 뜻이 비슷한 낱말로 바꿔 쓰려고 해요. 보기 에서 알맞은 낱말을 골라 빈칸에 각각 쓰세요.

보기

| 개최된 | 해체된 | 변했다 | 끝냈다 |

12월 17일 학교 강당에서 열린 학예회에서 우리 반 친구들이 「팥죽 할멈과 호랑이」 연극을 성공적으로 마쳤다.

→ 12월 17일 학교 강당에서 [　][　][　] 학예회에서 우리 반 친구들이 「팥죽 할멈과 호랑이」 연극을 성공적으로 [　][　][　].

2
문장
고쳐쓰기

다음 친구가 고쳐 쓴 문장 처럼 밑줄 그은 부분을 바르게 고치고, 문장을 따라 쓰세요.

친구가 고쳐 쓴 문장

학예회가 마무리한 뒤에도 우리 반 친구들은 연극에 대한 대화를 한참 동안 이어 갔다.

↓

학예회가 마무리된 뒤에도 우리 반 친구들은 연극에 대한 대화를 한참 동안 이어 갔다.

 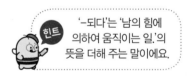
힌트 '-되다'는 '남의 힘에 의하여 움직이는 일.'의 뜻을 더해 주는 말이에요.

많은 보석들이 사용한 이 그림은 매우 높은 가격에 팔렸다.

↓

많	은	∨	보	석	들	이	∨			∨	이	∨
그	림	은	∨	매	우	∨	높	은	∨	가	격	에	∨
팔	렸	다	.									

● 다음은 학급 신문 기사 내용으로 정한 일을 정리한 표예요. 표를 잘 보고, 빈칸에 알맞은 문장을 써 넣어 학급 신문 기사의 내용을 완성하세요.

언제	5월 15일 스승의 날
어디에서	교실에서
누가	우리 반 친구들이
무엇을	선생님께 깜짝 선물을 드렸다.
어떻게	선생님께 편지와 종이꽃을 안겨 드리고 다 같이 스승의 날 노래를 불렀다.
왜	감사함을 표현하기 위해서

스승의 날 깜짝 선물을 드리다

담임 선생님, 편지와 종이꽃을 안으신 채로 소감 밝히시다

_____

_____

_____

_____

　담임 선생님께서는 너무 고맙다며 앞으로도 우리 반이 이렇게 화목하길 바란다고 말씀하셨다.

최정우 기자

힌트 　'언제, 어디에서, 누가, 무엇을, 어떻게, 왜'의 내용이 잘 드러나게 기사 내용을 써 봅니다.

3일 기사 내용 쓰기 ②

인터뷰 내용을 넣어 생생한 기사를 써라!

학급 신문 기사를 쓸 때에 인터뷰 내용을 넣으면 생생한 느낌을 줄 수 있어요.

인터뷰 내용을 넣어 인터뷰 상대방의 생각이나 느낌이 잘 드러나도록 써 보세요.

주고받은 말을 큰따옴표를 사용해 그대로 넣어도 좋고,

따옴표 없이 문장에 자연스럽게 어울리도록 써도 좋아요.

● 사다리 타기를 하여 도착한 곳의 낱말을 따라 쓰며, 인터뷰 내용을 넣어 기사 내용을 쓰는 방법을 알아보아요.

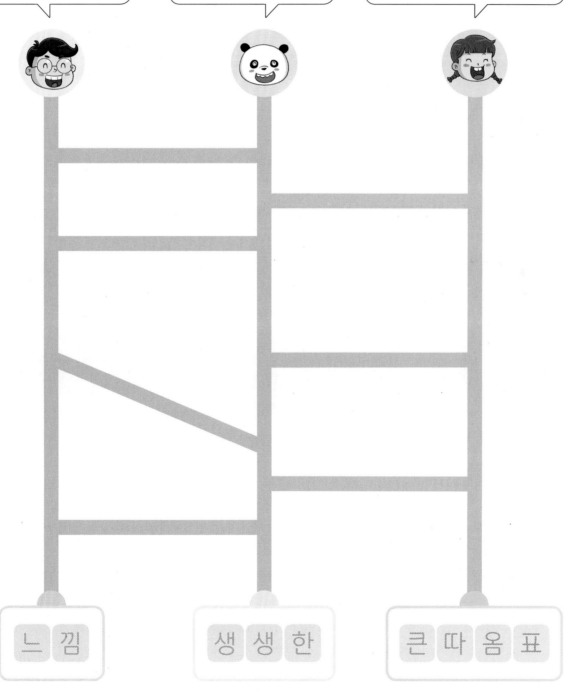

학급 신문 기사를
쓸 때에 인터뷰 내용을
넣으면 ○○○
느낌을 줄 수 있어요.

인터뷰 내용을 넣어
인터뷰 상대방의
생각이나 ○○이
잘 드러나도록 써요.

주고받은 말을 ○○○○를
사용해 그대로 넣거나
따옴표 없이 문장에 자연스럽게
어울리도록 써요.

느 낌

생 생 한

큰 따 옴 표

● 다음 대화를 읽고, 인터뷰한 내용을 넣어 학급 신문 기사의 내용을 써 보세요.

영수는 지난 5일에 열린 학급 바자회에 참여해 많은 물건을 팔았던 김은서 친구를 인터뷰하여 학급 바자회의 일을 기사로 쓰기로 하였습니다.

 김은서 친구, 안녕하세요. 학급 바자회에 참여한 소감을 한마디 부탁드립니다.

 판매대를 직접 꾸며 친구들에게 물건을 팔아 본 것은 새로운 경험이라 매우 재미있었습니다.

 물건을 판매하고 얻은 수익금 모두를 기부하기로 했는데요, 기부에 대한 생각을 한번 들어 볼 수 있을까요?

 기부는 도움이 필요한 사람들에게 도움을 줄 수 있는 일이므로 정말 좋은 일이라 생각합니다.

 말씀 잘 들었습니다. 인터뷰에 대답해 주어서 고맙습니다.

🐭 어휘 풀이

▼**바자회**|모일 회 會| 공공 또는 사회사업의 자금을 모으기 위하여 벌이는 시장.
　　예 불우 이웃 돕기 바자회가 이번 주 토요일에 열린다.

▼**수익금**|거둘 수 收, 더할 익 益, 쇠 금 金| 벌어들인 돈에서 돈을 버는 데 쓰인 금액을 빼고 남은 돈.
　　예 두 남자는 장사에서 벌어들인 수익금을 반으로 나누어 가졌다.

▼**기부**|부칠 기 寄, 붙을 부 附| 다른 사람이나 기관, 단체 등을 도울 목적으로 돈이나 재산을 대가 없이 내놓음. 예 할머니께서는 모아 온 재산을 학생들을 위해 기부하셨다.

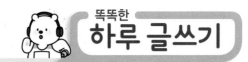
낱말 쓰기

1 단계

다음 그림을 보고, 빈칸에 알맞은 말을 각각 쓰세요.

바자회는 정말 재미있었습니다.

김은서 친구는 ㅂ ㅈ ㅎ 에 참여한 소감을 묻자 "판매대를 직접 꾸며 친구들에게 물건을 팔아 본 것은 새로운 경험이라 매우 ㅈ ㅁ 있었습니다." 라고 답하며 웃어 보였다.

문장 쓰기

2 단계

다음 보기 에서 빈칸에 알맞은 내용을 골라 쓰세요.

보기

도움을 줄 수 있는 일   어른만 할 수 있는 일

기부에 대해서는 도움이 필요한 사람들에게

이므로 정말 좋은 일이라 생각한다고 밝혔다.

한 편 쓰기

3 단계

1과 **2**에서 정리한 인터뷰 내용을 넣어 학급 신문 기사 내용을 완성하세요.

지난 5일, 나눔의 소중함을 배우는 활동으로 교실에서 우리 1반 친구들의 바자회가 열렸다. 쓰지 않는 물건을 가져와 싼값에 나누고, 수익금은 기부하기로 했다.

이번 바자회에 참여해 많은 물건을 팔았던 김은서 친구는 바자회에 참여한 소감을

묻자 "❶ _____

_____

_____"라고 답하며 웃어 보였다.

기부에 대해서는 ❷ _____

_____ 이라 생각한다고 밝혔다.

똑똑한 하루 글쓰기 고쳐쓰기

▶ 정답 및 해설 11쪽

1
낱말
고쳐쓰기

다음 밑줄 그은 말 대신 바꿔 쓰기에 알맞은 낱말을 보기 에서 골라 바꿔 써 보세요.

> **보기**
>
> **일체** 모든 것.
>
> **전부** 어느 한 부분이 아니라 전체가 다.

> 힌트 '모두'는 '남거나 빠진 것이 없는 전체.'를 뜻하는 말이에요. 보기 의 말 중 무엇을 골라도 답이 될 수 있어요.

판매하고 얻은 수익금 <u>모두</u>를 기부하기로 했다.

→ 판매하고 얻은 수익금 ☐☐ 를 기부하기로 했다.

2
문장
고쳐쓰기

다음 친구가 고쳐 쓴 문장 과 같이 밑줄 그은 부분을 바르게 고치고, 문장을 따라 쓰세요.

> **친구가 고쳐 쓴 문장**
>
> 기부에 대해서는 도움이 필요한 사람들에게 도움을 줄 수 있는 일이므로 정말 좋은 일이라 <u>생각한다라고</u> 밝혔다.
>
> → 기부에 대해서는 도움이 필요한 사람들에게 도움을 줄 수 있는 일이므로 정말 좋은 일이라 <u>생각한다고</u> 밝혔다.

동생은 놀이터에서 더 놀고 <u>싶다라고</u> 말하며 아쉬운 표정을 지었다.

동	생	은	∨	놀	이	터	에	서	∨	더	∨	놀
고	∨				∨	말	하	며	∨	아	쉬	운	∨
표	정	을	∨	지	었	다	.					

> 힌트 큰따옴표 없이 다른 사람의 말을 가지고 와서 쓸 때에는 '-고'를, 큰따옴표를 써서 다른 사람의 말을 그대로 가지고 올 때에는 '-라고'를 써요.

● 다음 만화를 읽고, 기사의 내용을 완성해 보세요.

> 지난 6일, 학교에서 '친구와 있었던 일'이라는 주제로 열린 글짓기 대회에서 우리 반 김경수 친구가 대상을 수상했다. 이 대회는 친구를 소중히 여기는 마음을 학생들에게 키워 주기 위한 '친구 사랑 활동'의 하나로, 반 친구들은 김경수 친구가 상을 받자 모두 박수를 치며 축하해 주었다.
>
> 김경수 친구는 이번 교내 글짓기 대회에서 대상을 받은 기분을 묻자 "❶ _____
> _____ "
> 라고 답했다. 김경수 친구는 이번 글짓기 대회에서 ❷ _____
> _____ 을 썼는데, 그때 ❸ _____
> _____
> _____ 같다고 말했다.

힌트
인터뷰 내용을 잘 읽고, 빈칸에 알맞은
인터뷰 내용을 써넣어 기사 내용을 완성해 보세요.

기사 제목 쓰기

기찬
기사의 제목은 제목을 보고 기사의 내용을 짐작할 수 있게 붙여야 해.

달래
그렇구나. 그럼 기찬이 네가 기사에 제목을 붙여 봐.

기찬
내, 내가? 난 좀 바빠서……. 글봇에게 부탁해 보면 어때?

오늘은 기사에 어울리는 제목을 써 보아요.
민속 박물관으로 현장 체험학습을 갔던 일을 쓴 기사에는 어떤 제목을 붙이면 좋을까요?

기사 내용을 짐작할 수 있도록 기사 제목을 써라!

학급 신문 기사에는 기사의 내용을 짐작할 수 있는 제목을 붙여야 해요.

어떤 일로 기사를 썼는지 잘 드러나게 기사의 제목을 써 보아요.

기사를 읽는 사람이 기사 내용을 더 쉽게 짐작할 수 있도록

소제목을 사용해 더 자세한 기사의 내용을 덧붙일 수도 있어요.

● 기사 제목을 붙이는 방법에 맞게 빈칸에 알맞은 말을 쓰고, 퍼즐판에서 찾아 ○표를 하세요.

기사의 내용을 ❶ ☐☐ 할 수 있는 제목을 붙여요.

어떤 일로 기사를 썼는지 잘 드러나게 기사의 ❷ ☐☐ 을 써요.

우	대	짐	작
소	금	경	광
제	무	리	제
목	다	로	목

❸ ☐☐☐ 을 사용해 더 자세한 기사의 내용을 덧붙일 수도 있어요.

4_일 기사 제목 쓰기

◉ 다음 학급 신문 기사를 읽고, 기사의 제목과 소제목을 써 보세요.

지난 6일, 우리 반은 과학 시간에 공부한 행성과 별자리를 직접 관찰하기 위해 천문대로 1박 2일 현장 체험학습을 갔다.

천문대에 도착한 반 친구들은 먼저 별자리와 태양계의 특징과 위치에 대한 영상을 보고 천체 망원경을 조작하는 방법을 배웠다. 밤에는 망원경으로 행성과 별자리를 찾아보는 시간을 가졌다. 반 친구들 모두가 아름다운 띠를 가진 것으로 잘 알려진 토성을 볼 수 있었다.

밤하늘을 관측하는 동안에 여기저기서 "우아!" 하는 감탄이 쏟아져 나왔다. 김지아 친구는 "책에서만 보던 행성들을 망원경으로 보니 신기했다."라며 감상을 밝혔고, 윤경수 친구는 "별이 빼곡히 박힌 밤하늘은 바라볼수록 아름다웠다."라며 웃어 보였다.

▲ 천체 망원경으로 밤하늘을 관찰하는 반 친구들의 모습

▲ 토성

장연수 기자

🐭 어휘 풀이

▼ **천문대**|하늘 천 天, 글월 문 文, 대 대 臺|　우주와 우주의 물체들의 현상을 관측하고 연구하기 위하여 설치한 시설. 또는 그런 기관.
　　㉑ 천문대에서는 별을 관측할 수 있다.

▼ **천체 망원경**|하늘 천 天, 몸 체 體, 바랄 망 望, 멀 원 遠, 거울 경 鏡|　우주에 존재하는 모든 물체를 관측하기 위한 망원경.

▼ **관측**|볼 관 觀, 잴 측 測|　눈이나 기계로 자연 현상을 자세히 살펴보아 어떤 사실을 짐작하거나 알아냄. ㉑ 변화를 관측하며 보고서를 작성하였다.

▲ 천체 망원경

낱말 쓰기

 다음은 학급 신문 기사의 제목을 붙이기 위해 기사 내용을 요약한 것이에요. 그림을 보고, 빈칸에 알맞은 말을 각각 쓰세요.

천문대에 와서 **행성**과 별자리를 보니 너무 멋져.

(1) 지난 6일, 우리 반은 과학 시간에 공부한 행성과 별자리를 직접 관찰하기 위해 ㅊ ㅁ ㄷ 로 1박 2일 현장 체험 학습을 갔다.

(2) 반 친구들은 망원경으로 ㅎ ㅅ 과 별자리를 찾아보는 시간을 가졌다.

2주

문장 쓰기

 1의 내용을 참고하여 빈칸에 알맞은 말을 보기 에서 골라 기사의 제목을 완성하세요.

보기

천문대로 떠난   과학실로 향한

현장 체험학습

한 편 쓰기

 1의 내용을 참고하여 보기 에서 알맞은 말을 골라 기사의 소제목을 완성하세요.

보기

망원경으로   현미경으로

씨앗과 이파리   행성과 별자리

찾아보는   물어보는

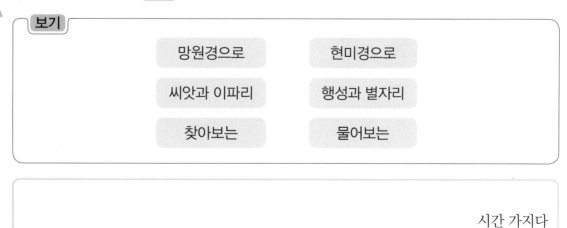

시간 가지다

1
낱말
고쳐쓰기

다음 문장의 밑줄 그은 낱말 대신 바꿔 쓰기에 알맞은 낱말을 보기 에서 각각 골라 쓰세요.

보기

| 다루는 | 고치는 | 읽었다 | 익혔다 |

천체 망원경을 조작하는 방법을 배웠다.

→ 천체 망원경을 ☐☐☐ 방법을 ☐☐☐.

힌트

'조작하는'은 '기계 따위를 일정한 방식에
따라 다루어 움직이는.'이라는 뜻이고,
'배우다'는 '새로운 기술을 익히다.'라는 뜻이에요.

2
문장
고쳐쓰기

다음 친구가 쓴 문장 에서 밑줄 그은 말을 알맞게 고치고, 문장을 따라 쓰세요.

친구가 쓴 문장

별이 빼곡이 박힌 밤하늘은 바라볼 수록 아름다웠다.

| 별 | 이 | ∨ | | | ∨ | 박 | 힌 | ∨ | 밤 | 하 | 늘 |
| 은 | ∨ | | | | ∨ | 아 | 름 | 다 | 웠 | 다 | . |

힌트

'빼곡' 뒤에는 '하다'가 붙어 쓰일 수 있으므로
'빼곡이'가 아닌 '빼곡히'로 적어야 하고,
'-ㄹ수록'은 앞말과 붙여 써야 해요.

◉ 다음 기사 내용을 읽고, 기사에 어울리는 제목과 소제목을 붙여 보세요.

▲ 우리 반 친구들이 거리의 쓰레기를 주우며 봉사 활동을 하고 있다.

지난 12일, 우리 반 친구들이 학교 주변 거리의 쓰레기 줍기 봉사 활동에 나섰다. 이번 활동은 거리의 쓰레기를 청소하며 우리 주변의 쓰레기에 대하여 생각하는 시간을 가지도록 하기 위한 활동이다. 반 친구들은 모둠별로 구역을 맡아 거리의 쓰레기를 청소했다.

1시간의 청소 시간을 가진 뒤 모였을 때, 친구들은 쓰레기로 꽉 찬 쓰레기봉투를 하나씩 들고 있었다. 이번 봉사 활동에 참여한 소감을 묻자 김도연 친구는 "거리에 쓰레기가 이렇게 많은 줄 몰랐어요. 아무렇게나 버려져 있는 쓰레기들을 보니 기분이 좋지 않았어요."라고 답했다. 최영진 친구는 쓰레기는 꼭 쓰레기통에 버리도록 해야겠다며 굳게 다짐하는 모습을 보여 주었다.

김윤아 기자

❶ 제목

❷ 소제목

힌트

어떤 일로 기사를 썼는지 생각하며 기사의 내용이 잘 드러나도록 기사의 제목을 붙여 보아요.
그리고 기사의 내용을 더 쉽게 짐작할 수 있도록 기사의 자세한 내용을 담아 소제목을 써 보세요.

5일 학급 신문 기사 쓰기

달래
어떤 일을 쓸지 고민된다.

판판
나는 우리 반 친구들과 공원에 소풍 갔던 일을 쓸래.

기찬
나는 과학 만화 그리기 대회에 참여했던 일을 써야지.

벌써 마지막 시간이에요.
오늘은 학급에서 있었던 일을 떠올려 학급 신문 기사를 한 편 써 보아요.

학급에서 있었던 일로 학급 신문 기사를 써라!

학급 신문 기사를 쓸 때에는 우리 반에서 있었던 일들 중 알리고 싶은 일을 골라

기사로 쓸 내용을 정하고, 있었던 일이 잘 드러나도록 써요.

인터뷰한 내용을 넣어 기사 내용을 생생하게 만들 수도 있답니다.

끝으로, 기사의 내용을 짐작할 수 있는 제목까지 붙이면 기사를 완성할 수 있어요.

기사의 내용을 보여 주는 사진이나 그림을 넣을 수도 있답니다.

똑똑한 하루 글쓰기 미리 보기

▶ 정답 및 해설 13쪽

● 사다리 타기를 하여 도착한 곳의 낱말을 따라 쓰며, 학급 신문 기사를 쓰는 방법을 알아보아요.

기사로 쓸 ○○을 정하고, 있었던 일이 잘 드러나도록 써요.

○○○한 내용을 넣어 기사 내용을 생생하게 만들 수도 있어요.

기사의 내용을 짐작할 수 있는 ○○을 붙여요.

인 터 뷰

제 목

내 용

2주

학급 신문 기사 쓰기

● 다음 만화를 읽고, 학급 신문 기사를 써 보세요.

어휘 풀이

▼**실습실**|열매 실 實, 익힐 습 習, 집 실 室| 이미 배운 것을 실제로 해 보고 익히는 교실.

⠀⠀⠀⠀예 교실에서 책으로 수업을 한 뒤에 실습실에서 실습을 하였다.

▼**소감**|바 소 所, 느낄 감 感| 마음에 느낀 바. 예 그는 대회 수상 소감을 밝혔다.

▶정답 및 해설 13쪽

낱말 쓰기

 다음 그림을 보고, 기사의 처음 부분에 들어갈 알맞은 말을 빈칸에 쓰세요.

여러분, 오늘은 모둠별로 **주먹밥**을 만들 거예요.

5월 20일, 우리 반 친구들은 수업 시간에 배운 요리를 직접 만들어 보기 위해 모둠별로 실습실에서 　ㅈ　ㅁ　ㅂ　 만들기를 했다. 친구들은 모둠별로 다양한 재료를 넣어 여러 가지 모양의 주먹밥을 완성하였다.

문장 쓰기

 다음 그림을 보고, 윤희와 인터뷰한 내용을 넣어 **1**에 이어질 기사 내용을 완성해 보세요.

우리 모둠 주먹밥을 친구들이 **맛있게 먹어 주어서 기뻤어.**

윤희

주먹밥 완성 후 진행한 투표에서는 하트 모양 주먹밥을 만든 김윤희 친구의 모둠이 일등을 했다. 김윤희 친구는 "저희 모둠 주먹밥을 친구들이 　　　　　　　　　　　　　　 어요."라고 소감을 밝혔다.

한 편 쓰기

 1과 **2**의 기사 내용을 읽고, 다음 기사 제목에 알맞은 소제목을 붙여 보세요.

실습실에서 열린 주먹밥 만들기 대회

▶ 정답 및 해설 13쪽

1 다음 밑줄 그은 말을 바르게 고쳐 빈칸에 쓰세요.
낱말
고쳐쓰기

이 주먹밥에는 깃발이 <u>꽂혀</u> 있어.

→ 이 주먹밥에는 깃발이 [ ][ ] 있어.

힌트 '꽂히다'는 '쓰러지거나 빠지지 않게 박혀 세워지거나 끼워지다.'는 뜻의 '꽂히다'의 잘못된 표현이에요.

2 다음 선생님의 말씀에서 밑줄 그은 부분을 알맞게 고치고, 문장을 따라 쓰세요.
문장
고쳐쓰기

서로 만든 주먹밥을 먹어 보고 투표를 해서 <u>일등</u>을 한 모둠에게 선물을 <u>줄께요</u>.

힌트 '등'과 같이 단위를 나타내는 말은 띄어 써야 해요. 그리고 '줄께요'는 '줄게요'의 틀린 표현이에요.

서	로	V	만	든	V	주	먹	밥	을	V	먹	어	V
보	고	V	투	표	를	V	해	서	V		V		을	V
한	V	모	둠	에	게	V	선	물	을	V			.	

똑똑한 하루 글쓰기 마무리

내 생각 쓰기로 하루 마무리

● 학급에서 있었던 일을 떠올려 학급 신문 기사를 써 보세요.

제목: _____

소제목: _____

_____

힌트

학급에서 있었던 일들을 떠올려 보고, 가장 알리고 싶은 일을 정해 보아요.
그런 다음 '언제, 어디에서, 누가, 무엇을, 어떻게, 왜'의 내용이
잘 드러나게 기사를 써 보세요. 인터뷰한 내용을 넣어 쓸 수도 있어요.
그런 다음 기사에 알맞은 제목과 소제목을 붙여 보아요.

생활 어휘 다음 만화를 보며 속담의 뜻을 알아보고, 상황에 맞게 속담을 써 보세요.

소 닭 보듯

속담의 뜻을 알아봐요!

소 닭 보듯

이 속담은 "서로 아무런 관심도 두지 않고 있는 사이."라는 뜻이랍니다.

이제 이 속담을 넣어 상황에 맞게 써 볼까요?

경수야!

친구는 어제 싸우고 화가 안 풀렸는지 내 부름에도 " ☐ ☐ ☐ ☐ " 하고 지나갔다.

친구들이 연극을 하러 학교 강당에 가요. 뜻에 알맞은 낱말을 찾아 따라 쓰며 강당까지 가는 길을 선으로 이어 보세요.

 창의 2주에 나왔던 **낱말과 그 뜻**을 익히며 강당까지의 길을 찾아봅니다.

◉ 수영이는 내일 열리는 학급 바자회에 가져갈 물건들을 챙기려 해요. 바자회 물건 목록을 보고, 다음 그림에서 숨어 있는 물건들을 모두 찾아 ○표를 하세요.

[바자회 물건 목록] 머리띠, 모자, 다이어리, 볼펜, 머그 컵

 창의 수영이의 방에서 **학급 바자회에 가져갈 물건**을 찾아봅니다.

◉ 친구들이 천문대에서 행성에 대한 설명을 듣고 있어요. 다음 만화를 읽고, 금성에 대한 설명으로 알맞은 말에 ○표를 하세요.

금성은 태양과 (1) (첫 , 두) 번째로 가까이 위치한 행성으로 금성 다음이 바로 지구이다. 새벽에 보이는 금성은 (2) (샛별 , 개밥바라기)(이)라고 불리고, 저녁에 보이는 금성은 (3) (샛별 , 개밥바라기)(이)라고 불린다.

 융합
국어+과학 태양계에서의 **금성의 위치**와, 시간에 따른 **금성의 순우리말 이름**을 알아봅니다.

● 윤희네 모둠이 주먹밥을 만들려고 해요. 주먹밥을 만드는 데 필요한 재료를 모두 지나며 재료들을 얻어 주먹밥을 완성할 수 있도록 코딩 카드에 알맞은 숫자를 쓰세요.

우리 모둠이 원하는 주먹밥을 만들려면 이런 재료가 필요해.

필요한 재료 참치, 참기름, 마요네즈, 단무지, 소금, 밥, 김, 하트 모양 틀

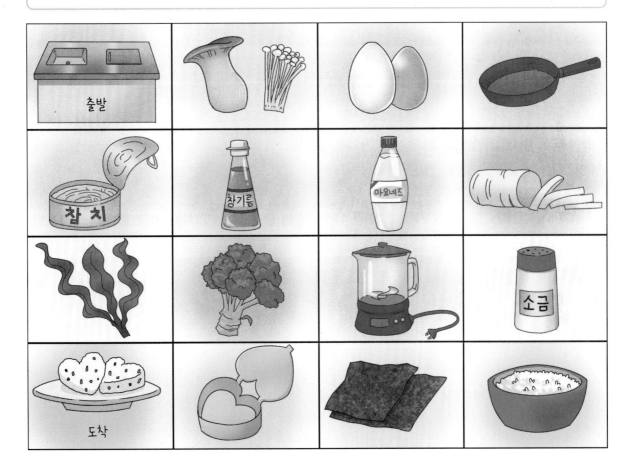

❶ 아래쪽
↓
1칸

❷ 오른쪽
→
□칸

❸ 아래쪽
↓
2칸

❹ 왼쪽
←
□칸

코딩 **주먹밥 재료**를 모아 주먹밥을 완성할 수 있도록 **코딩 카드**를 완성해 봅니다.

1 다음 학급 신문 기사에 대하여 알맞게 말한 친구의 이름을 쓰세요.

> 한주: 반에서 있었던 일이나 소식 따위를 담아 만든 신문에 들어가는 기사야.
> 주영: 가족들과 있었던 일이나 소식 따위를 담아 만든 신문에 들어가는 기사야.

(   )

2 다음 글을 읽고, 어떤 일을 학급 신문 기사로 쓰려고 하는지 알맞은 것에 ○표를 하세요.

> 21일에 열린 교내 합창 대회에 나가 봄을 주제로 한 노래를 불러 우승을 했어. 반 친구들 모두가 매일 연습을 하며 열정적으로 참여한 활동이었어.

(1) 반 친구들과 교내 합창 대회에 나가 우승을 한 일 (   )

(2) 반 친구들과 음악 시간에 노래 부르기 시험을 본 일 (   )

3 다음 문장을 읽고, 띄어쓰기가 알맞은 말에 ○표를 하세요.

> 우리 반 친구들과 도서관에 가서
> (여러가지 , 여러 가지) 독서 활동을 했어.

4 다음 학급 신문 기사의 일부를 읽고, 기사 내용으로 알맞지 <u>않은</u> 것에 ×표를 하세요.

> 12월 17일 학교 강당에서 열린 학예회에서 우리 반 친구들이 「팥죽 할멈과 호랑이」 연극을 성공적으로 마쳤다.
> 이날 연극은 친구들과의 소중한 추억을 남기기 위하여 우리 반 친구들이 대본부터 의상까지 직접 만들며 준비한 것이다.

(1) 12월 17일 학교 강당에서 열린 학예회에서 있었던 일입니다. (   )

(2) 친구들이 상금을 타기 위해 연극을 했습니다. (   )

[5~6] 다음 기사를 읽고, 물음에 답하세요.

> 지난 5일, 나눔의 소중함을 배우는 활동으로 교실에서 ⟨ ㉠ ⟩. 쓰지 않는 물건을 가져와 싼 값에 나누고, 수익금은 기부하기로 했다.
> 이번 바자회에 참여해 많은 물건을 팔았던 김은서 친구는 바자회에 참여한 소감을 묻자 ⟨ ㉡ ⟩라고 답하며 웃어 보였다.
> 기부에 대해서는 도움이 필요한 사람들에게 도움을 줄 수 있는 일이므로 정말 좋은 일이라 생각한다고 밝혔다.

글쓰기

5 학급에서 무엇을 했는지 빈칸에 알맞은 말을 써 ㉠ 안에 들어갈 문장을 완성하고 따라 쓰세요.

우	리	V	1	반	V	친	구
들	의	V				가	V
열	렸	다	.				

6 ⓒ 안에 들어갈 인터뷰 내용으로 알맞은 것에 ○표를 하세요.

(1) "친구들이 제 물건을 하나도 사 가지 않아서 서운한 마음이 들었습니다." (　　　)

(2) "판매대를 직접 꾸며 친구들에게 물건을 팔아 본 것은 새로운 경험이라 매우 재미있었습니다." (　　　)

7 다음 문장에서 밑줄 그은 부분을 바르게 고쳐 쓰세요.

> 동생은 놀이터에서 더 놀고 싶다라고 말하며 아쉬운 표정을 지었다.

싶다라고 ➡ ☐☐☐

[8~9] 다음 기사의 일부를 읽고, 물음에 답하세요.

지난 6일, 우리 반은 과학 시간에 공부한 행성과 별자리를 직접 관찰하기 위해 천문대로 1박 2일 현장 체험학습을 갔다.

천문대에 도착한 반 친구들은 먼저 별자리와 태양계의 특징과 위치에 대한 영상을 보고 천체 망원경을 조작하는 방법을 배웠다. 밤에는 망원경으로 행성과 별자리를 찾아보는 시간을 가졌다.

8 이 기사에 넣을 인터뷰 내용으로 적절한 것에 ○표를 하세요.

(1) "책에서만 보던 행성들을 망원경으로 보니 신기했다." (　　　)

(2) "현미경으로 나뭇잎을 들여다보니 잎 무늬가 하나하나 자세히 보여 신기했다." (　　　)

글쓰기
9 빈칸에 알맞은 말을 기사에서 찾아 써넣어 이 기사의 제목과 소제목을 완성하세요.

(1) 제목: ☒☐☐ 로 떠난 현장 체험학습

(2) 소제목: 망원경으로 ☐☐ 과 ☐ ☐☐ 찾아보는 시간 가지다

10 다음 기사의 제목을 읽고, 알맞은 말에 ○표를 하여 기사 내용을 완성하세요.

> 실습실에서 열린 주먹밥 대회
> 김윤희 친구 모둠의 하트 모양 주먹밥이 일 등 하다

5월 20일, 우리 반 친구들은 수업 시간에 배운 요리를 직접 만들어 보기 위해 모둠별로 (1) (실습실 , 미술실)에서 (2) (조각상 , 주먹밥) 만들기를 했다. 친구들은 모둠별로 다양한 재료를 넣어 여러 가지 모양의 주먹밥을 완성하였다.

주먹밥 완성 후 진행한 투표에서는 하트 모양 주먹밥을 만든 김윤희 친구의 모둠이 (3) (일 등 , 꼴등)을 했다. 김윤희 친구는 "저희 모둠 주먹밥을 친구들이 맛있게 먹어 주어서 기뻤어요."라고 소감을 밝혔다.

지구별에 온 뒤로 꾸준히 여행을 다니고 있어.

지난 주말에는 전주에 갔지.

그럼 여행하면서 보고, 듣고, 느끼고, 겪은 일로 기행문을 써 보면 되겠다!

응? 그럴 생각은 없었는데······.

우선 여행한 까닭이나 목적을 써 봐.

내가 전주에 간 까닭은······ 전주비빔밥이지!

전주? 전주에서 오전에 경기전을 보고 전동 성당에도 갔잖아. 오후에는 전주 향교도 방문했지!

오~, 기행문에 쓸 여정을 달래가 잘 말했는걸?

헤헤···

기행문을
써 보자!

1-1

기행문에 대한 설명으로 알맞지 <u>않은</u> 것에 ×표를 하세요.

(1) 여정, 견문, 감상이 나타나 있다.   (   )

(2) 인터넷을 통하여 주고받는 편지글이다.   (   )

(3) 여행하면서 보고, 듣고, 느끼고 겪은 것을 적은 글이다.   (   )

1-2

다음 두 친구가 쓸 글의 종류로 알맞은 것을 골라 따라 쓰세요.

충청남도 태안으로 여행 가서 본 것을 글로 남기고 싶어!

강원도 양양으로 여행 가서 느낀 점을 글로 남기고 싶어!

기 행 문

연 설 문

▶정답 및 해설 16쪽

2-1

다음은 기행문의 내용 중 무엇에 대한 설명인지 알맞은 것을 골라 따라 쓰세요.

여행하며 어떤 장소를 방문해 보고 들은 것

여 정   견 문   감 상

2-2

기행문의 내용 중 견문이 잘 드러난 문장에 ○표를 하세요.

(1) 꿈을 꾸는 것 같은 기분이 들었다.   (   )

(2) 별을 볼 수 있는 높은 언덕에 도착했다.   (   )

(3) 쏟아질 듯한 별을 보며 별자리에 대한 설명을 들었다.   (   )

1일 **여행한 까닭이나 목적 쓰기**

밤톨

너희와 지구의 바다를 보러 간 일이 떠올라.

기찬

바다로 여행을 가자고 했던 까닭이 있어?

밤톨

바밤별에는 바다가 없거든. 나에게는 첫 바다였어~!

안녕하세요. 술술TV예요. 오늘은 여행을 다녀온 경험을 하나씩 떠올려 여행한 까닭이나 목적을 이야기해 봐요.

기행문에 여행한 까닭 이나 목적 을 써라!

기행문은 여행하면서 보고, 듣고, 느끼고, 겪은 것을 적은 글이에요.

기행문의 처음 부분에는 여행한 까닭이나 목적을 써요.

여행을 떠나기 전의 기대와 설렘, 떠날 때의 날씨와 교통편 등도 함께 써 볼 수 있답니다.

◉ 기행문의 처음 부분을 쓰는 방법에 맞게 빈칸에 알맞은 말을 쓰고, 퍼즐판에서 찾아 ◯표를 하세요.

❶ ☐☐☐ 은 여행하면서 보고, 듣고, 느끼고, 겪은 것을 적은 글이에요.

기행문의 처음 부분에는 여행한 ❷ ☐☐ 이나 목적을 써요.

서	유	기	차
날	씨	행	창
고	양	문	구
까	닭	바	비

여행을 떠나기 전의 기대와 설렘, 떠날 때의 ❸ ☐☐ 와 교통편 등도 함께 써 볼 수 있어요.

1_일 여행한 까닭이나 목적 쓰기

● 다음 대화를 읽고, 지욱이가 수원을 다녀와서 쓴 기행문의 처음 부분을 쓰세요.

(TALK) ✉ 💬 ✏   ⏰ 📍 📶 100%

지욱: 나 가족과 함께 수원에 놀러 가기로 했어!

전부터 부모님께 가고 싶다고 여러 번 말씀드렸는데 드디어 가게 되어서 너무 설레.

유진: 수원? 수원을 왜 가고 싶었는데?

지욱: 세계 문화유산인 수원 화성을 꼭 한번 보고 싶어. 내가 역사와 문화에 좀 관심이 많잖아?

그리고 유명한 수원 왕갈비도 먹어 봐야지!

유진: 음……, 수원 화성보다 왕갈비에 더 마음을 뺏긴 것 같은 건 내 착각이니? 하하.

🐭 **어휘 풀이**

▼ **세계 문화유산**|세대 세 世, 경계 계 界, 글월 문 文, 될 화 化, 남길 유 遺, 낳을 산 産| 세계 유산 협약에 따라 유네스코에서 인류 전체를 위하여 보호해야 할 보편적 가치가 있다고 인정한 문화유산. 예 창덕궁은 우리나라에 있는 <u>세계 문화유산</u>이다.

▼ **수원 화성**|물 수 水, 근원 원 原, 빛날 화 華, 재 성 城| 조선 시대 정조 때에 경기도 수원시에 쌓은 성. 근대적 구조를 갖추고 거중기와 같은 기계 장치를 활용하여 쌓은 것으로, 한국 성곽 건축 기술에서 중요한 위치를 차지함.

▲ 수원 화성 장안문

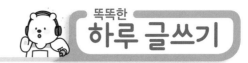

▶ 정답 및 해설 16쪽

낱말 쓰기

1 다음은 수원에 가고 싶은 까닭을 정리한 것이에요. 빈칸에 알맞은 낱말을 각각 쓰세요.

▲ 수원 화성

▲ 수원 왕갈비

(1) 수원 [ㅎ] [ㅅ] 을 꼭 보고 싶다.

(2) 수원 [ㅇ] [ㄱ] [ㅂ] 도 먹어 보고 싶다.

문장 쓰기

2 **1**에서 쓴 내용을 바탕으로 기행문에 들어갈 여행한 까닭이나 목적을 두 문장으로 정리해서 쓰세요.

❶ 평소에 역사와 문화에 관심이 많아

　　　싶었다.

❷ 유명한　　　　　　　　　　　　　　　　　싶었다.

한 편 쓰기

3 **2**에서 완성한 여행한 까닭이나 목적을 넣어 기행문의 처음 부분을 완성하여 쓰세요.

| 지난 주말 가족들과 함께 수원으로 여행을 다녀왔다. |

	❶평	소	에	∨			∨			∨
	∨		∨		∨			∨		
	∨			.	❷			∨		∨
	∨		∨			∨	싶	었	다	.

| 아침부터 날씨가 너무 좋아 수원으로 향하는 기차를 타러 가는 길이 더욱 설렜다. |

1
**낱말
고쳐쓰기**

다음 문장에서 돼어서 를 각 글자 수에 맞게 두 가지 방법으로 고쳐 쓰세요.

수원에 드디어 가게 **돼어서** 너무 설레.

↓

(1) 수원에 드디어 가게 ☐☐ 너무 설레.

(2) 수원에 드디어 가게 ☐☐☐ 너무 설레.

힌트 '돼'는 '되어'의 준말이에요. 따라서 '되어'를 '돼'로 줄여 '돼서'로 쓰거나, 줄이지 않고 '되어서'로 써야 해요.

2
**문장
고쳐쓰기**

두 문장을 이어 주는 말로 알맞은 낱말을 보기 에서 골라 밑줄 그은 낱말을 바르게 고치고, 문장을 따라 쓰세요.

보기

그래서	앞의 내용이 뒤의 내용의 원인이나 근거, 조건 따위가 될 때 쓰는 이어 주는 말.
그러나	앞의 내용과 뒤의 내용이 반대일 때 쓰는 이어 주는 말.
그리고	서로 비슷한 내용의 두 문장을 이어 주는 말.

세계 문화유산인 수원 화성을 꼭 한번 보고 싶어. <u>그러므로</u> 유명한 수원 왕갈비도 먹어 봐야지!

↓

세	계	V	문	화	유	산	인	V	수	원	V	화
성	을	V	꼭	V	한	번	V	보	고	V	싶	어	.
			V	유	명	한	V	수	원	V	왕	갈	비
도	V	먹	어	V	봐	야	지	!				

힌트 두 문장은 모두 글쓴이가 수원에서 하고 싶은 일을 나타낸 문장이에요. 서로 비슷한 내용을 이어 주는 말을 찾아보아요.

▶ 정답 및 해설 16쪽

● 다음 밤톨이의 말을 읽고, 밑줄 그은 부분에서 빈칸에 들어갈 말을 골라 밤톨이가 쓴 기행문의 처음 부분을 완성하세요.

여수에 대한 노래를 듣고 여수의 밤바다를 보고 싶었어. 그리고 여수는 내가 존경하는 이순신 장군이 전투를 펼친 곳이기도 하다고.

◀ 여수 돌산 대교

아침부터 날이 따뜻하던 6월의 어느 날, 부모님을 졸라 고속 철도를 타고 여수로 향했다.

우	연	히	V	여	수	에	V	대	한	V	노	래
를	V	듣	고	V				V				V
		V	싶	었	다	.		또	,	예	전	부	터	V
내	가	V				V					V	
	V			V				V		이	기	도	V
해	V	더	욱	V	가	V	보	고	V	싶	었	다	.

힌트
밤톨이의 말에서 밑줄 그은 부분을 잘 살펴보면 기행문의 처음 부분에 들어갈 여행한 까닭이나 목적을 알 수 있답니다.

여정 쓰기

기행문에 여정을 써라!

여행의 과정이나 일정을 여정이라고 해요.

여정을 쓸 때에는 주로 시간이나 장소의 변화에 따라 써요.

'먼저', '이른 아침에' 등의 시간을 나타내는 표현과

'~에 도착했다', '~(으)로 갔다' 등의 장소를 나타내는 표현을 사용할 수 있어요.

● 사다리 타기를 하여 도착한 곳의 낱말을 따라 쓰며, 기행문에 여정을 쓰는 방법을 알아보아요.

여행의 과정이나 일정을 ○○이라고 해요.

'먼저', '이른 아침에' 등의 ○○을 나타내는 표현을 사용해요.

'~에 도착했다', '~(으)로 갔다' 등의 ○○를 나타내는 표현을 사용해요.

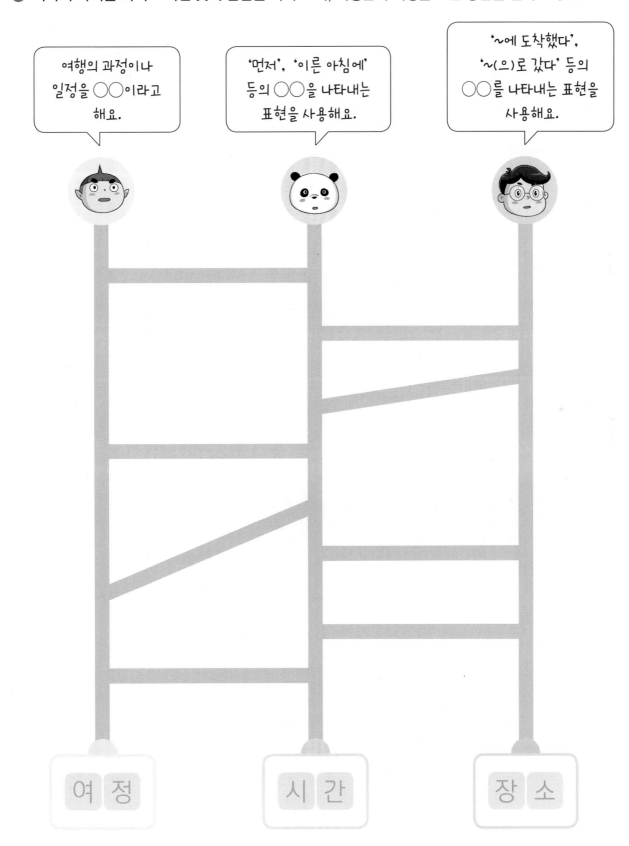

3
주

여 정

시 간

장 소

2일 여정 쓰기

● 다음 만화를 읽고, 여정을 써넣어 기행문의 가운데 부분을 정리해 쓰세요.

🐭 **어휘 풀이**

▼ **예매**|미리 예 豫, 살 매 買   정하여진 때가 되기 전에 미리 삼. ㉑ 영화표를 예매했다.

▼ **레일 바이크**   철로 위를 달릴 수 있도록 만든 자전거. 자전거처럼 페달을 밟아 그 추진력으로 철로를 달림.

▼ **애니메이션**   만화나 인형을 이용하여 그것이 마치 살아 있는 것처럼 생동감 있게 촬영한 영화. 또는 그 영화를 만드는 기술. ㉑ 애니메이션 속 등장인물들이 실제로 살아 움직이는 것 같았다.

▼ **거리**   내용이 될 만한 재료. ㉑ 글로 쓸 거리를 떠올렸다.

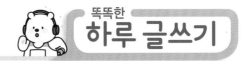
낱말 쓰기

1 단계 다음은 춘천 여행에서 가장 먼저 있었던 일이에요. 빈칸에 알맞은 낱말을 쓰세요.

가장 먼저, 오전 열한 시에 레일 바이크 탑승장에

ㄷ ㅊ 했다.

문장 쓰기

2 단계 **1**에서 답한 일 다음에는 어떤 일이 있었는지 시간의 차례에 따라 두 문장으로 정리하여 쓰세요.

(1)

오후 한 시에 ㄱ ㅇ ㅈ ㅁ ㅎ ㅊ

ㅇ ㄷ ㅊ 했다.

(2)

오후 세 시에는 ㅁ ㅈ ㅁ ㅇ ㄹ

ㅇ ㄴ ㅁ ㅇ ㅅ ㅂ ㅁ ㄱ

ㅇ ㄹ 갔다.

한 편 쓰기

3 단계 **1**과 **2**에서 완성한 여정을 넣어 기행문의 가운데 부분을 정리해 쓰세요.

❶ _____

_____ 레일 바이크를 타니 강과 산이 어우러진 풍경이 눈
앞에 펼쳐졌다. 페달을 밟는 것이 조금 힘들었지만 바람이 시원하고 풍경이 아름다웠다.

❷ _____

김유정 작가는 「봄봄」, 「동백꽃」 등의 작품을 썼다고 한다. 「봄봄」을 읽어 봐야겠다고 생각했다.

❸ _____

_____ 평소에 내가 좋아하는 캐릭터들과 관련된 전시물들을 보고 다양
한 체험도 할 수 있어서 좋았다. 특히, 캐릭터 목소리를 녹음해 보는 체험이 재미있었다.

1 다음 밑줄 그은 낱말 대신 바꿔 쓰기에 알맞은 낱말을 보기 에서 골라 쓰세요.

낱말
고쳐쓰기

보기

경치	산이나 들, 강, 바다 따위의 자연이나 지역의 모습.
풍랑	바람과 물결을 아울러 이르는 말.
풍향	바람이 불어오는 방향.

바람이 시원하고 <u>풍경</u>이 정말 예뻐요.

↓

바람이 시원하고 ☐☐ 이/가 정말 예뻐요.

2 다음 친구가 한 말에서 밑줄 그은 부분을 바르게 고치고, 문장을 따라 쓰세요.

문장
고쳐쓰기

체험할 <u>꺼리가</u>
<u>마나서</u> 좋아요.

체	험	할	V			가	V				V	종
아	요	.										

힌트 '내용이 될 만한 재료.'의 뜻을 가진 낱말은 '거리'이고, '수나 분량, 정도 따위가 일정한 기준을 넘어서.'의 뜻을 가진 낱말은 '많아서'예요.

⦿ 다음은 달래가 담양을 여행하며 겪은 일이에요. 잘 보고 보기 에서 알맞은 말을 각각 골라 기행문의 여정을 써넣어 보세요.

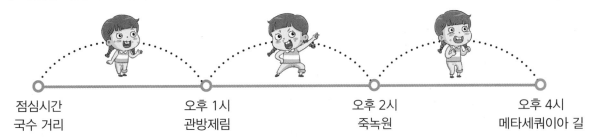

| 점심시간 | 오후 1시 | 오후 2시 | 오후 4시 |
| 국수 거리 | 관방제림 | 죽녹원 | 메타세쿼이아 길 |

5월의 어느 날, 담양으로 여행을 떠났다. 판판이 좋아하는 대나무가 가득한 도시라는 말을 듣고 꼭 가 보고 싶었다.

❶ _____

줄지어 서 있는 국수 가게들 중 한 곳에서 국수를 게 눈 감추듯 맛있게 먹었다.

　배가 부르게 국수를 먹고 난 뒤 ❷ _____

_____ 관방천에 있는 제방을 '관방제'라고 하고, 이 관방제를 따라 이루어진 나무숲을 '관방제림'이라 한다고 아버지께서 말씀해 주셨다.

❸ _____

관방제림에서 징검다리를 건너 금방 도착한 죽녹원에서는 다양한 종류의 대나무들로 이루어진 대나무 숲을 볼 수 있었다. 대나무가 다른 식물보다 산소를 많이 배출해 대나무 숲은 다른 곳보다 시원하다고 한다. 정말 에어컨을 켜 둔 방 안에 있는 것 같은 느낌이었다.

❹ _____

하늘 높이 뻗은 나무들을 보니 내 키도 나무처럼 커졌으면 좋겠다는 생각이 들었다.
　담양은 정말 볼거리가 많은 멋진 여행지이다. 알찬 여행을 해서 기분이 좋았다.

보기

오후 2시, 다음으로 향한 곳은 죽녹원이었다.

가장 먼저 점심시간에 맞추어 국수 거리에 갔다.

오후 4시에 마지막으로 메타세쿼이아 길에 도착했다.

오후 1시쯤 국수 거리 근처에 있는 관방제림으로 발걸음을 옮겼다.

힌트 달래가 여행하면서 다닌 곳을 시간의 차례에 맞게 각각 써넣어 빈칸을 완성해 보세요.

3일 견문 쓰기

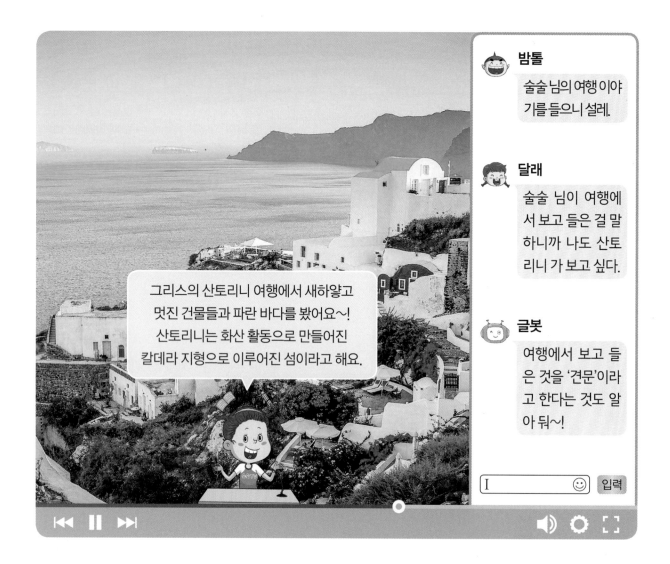

그리스의 산토리니 여행에서 새하얗고 멋진 건물들과 파란 바다를 봤어요~! 산토리니는 화산 활동으로 만들어진 칼데라 지형으로 이루어진 섬이라고 해요.

밤톨
술술 님의 여행 이야기를 들으니 설레.

달래
술술 님이 여행에서 보고 들은 걸 말하니까 나도 산토리니 가 보고 싶다.

글봇
여행에서 보고 들은 것을 '견문'이라고 한다는 것도 알아 둬~!

기행문에 견문을 써라!

여행하며 어떤 장소를 방문해 보고 들은 것을 견문이라고 해요.

'~을/를 보다', '~이/가 있다' 등의 본 것을 나타내는 표현과

'~(이)라고 한다', '~을/를 듣다' 등의 들은 것을 나타내는 표현을 사용할 수 있어요.

● 그림에 맞는 퍼즐 모양을 찾아 각각 선으로 잇고, 기행문에 견문을 쓸 때 사용하는 표현을 알아보아요.

들은 것

'~을/를 보다', '~이/가 있다'

본 것

'~(이)라고 한다', '~을/를 들다'

 기행문에 견문을 쓰는 방법을 생각하며 문장을 따라 쓰세요.

대	관	령	에	서	V	초	원	을	V	뛰	놀	고	V
있	는	V	양	V	떼	들	을	V	보	았	다	.	

3_일 견문 쓰기

● 다음 이메일을 읽고, 리아가 지수에게 보낸 기행문에 들어갈 견문을 쓰세요.

☆ 지수에게	
보낸 사람	김리아 kimri*****@******.***
받는 사람	강지수 kangj*****@******.***
보낸 날짜	20○○.08.01. 화요일 오후 03:45:26

안녕 지수야. 나 리아야.

잘 지내니? 네게 추천하고 싶은 여행지가 있어서 이메일을 써.

나는 지난주 토요일에 고수 동굴에 다녀왔어. 고수 동굴은 충청북도 단양에 있는 동굴이야. 작년에 고수 동굴에 다녀왔던 우리 반 친구가 추천해 주어서 다녀오게 되었어. 친구가 말한 것처럼 볼거리가 많더라. ▼종유석과 신기한 돌기둥들이 눈을 ▼사로잡아서 지루할 틈이 없었어. 어머니께서 고수 동굴은 우리나라의 대표적인 ▼석회암 동굴이라고 말씀해 주셨어. 한여름이라 바깥 날씨는 더웠지만 동굴 안은 시원해서 좋았어. 너도 꼭 여름 방학이 끝나기 전에 가 봤으면 좋겠다는 생각이 들어서 첨부 파일로 내가 쓴 기행문과 고수 동굴 사진들을 보내. 너도 꼭 가 봐.

여름 방학 끝나고 만나자!

첨부 파일	고수_동굴_기행문.hwp 고수_동굴_사진.zip

🐻 **어휘 풀이**

▼**종유석**|쇠북 종 鐘, 젖 유 乳, 돌 석 石│ 지하수가 석회암 지대를 녹여 생긴 동굴의 천장에 고드름같이 달려 있는 석회암.

▼**사로잡아서** 생각이나 마음을 온통 한곳으로 쏠리게 해서.
㈎ 아름다운 장미꽃이 눈을 사로잡아서 계속 쳐다보았다.

▼**석회암**|돌 석 石, 재 회 灰, 바위 암 巖│ 동물의 뼈나 껍질이 물 밑에 쌓여서 생긴, 탄산 칼슘을 주성분으로 하는 퇴적암.

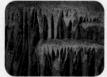
▲ 종유석

▲ 석회암

낱말 쓰기

1 다음 사진을 보고, 리아가 고수 동굴을 여행하며 본 것을 보기 에서 골라 빈칸에 쓰세요.
단계

보기

돌기둥　　　물보라　　　동식물

고수 동굴에서는 종유석과 신기하
게 생긴 　　　　　　 등을 볼
수 있었다.

문장 쓰기

2 다음 그림을 보고, 리아가 고수 동굴을 여행하며 들은 것을 한 문장으로 쓰세요.
단계

고수 동굴은
우리나라의 대표적인
석회암 동굴이라고 해.

리아

고수 동굴은 우리나라의 　ㄷ　ㅍ　ㅈ
ㅇ　ㅅ　ㅎ　ㅇ　ㄷ　ㄱ　ㅇ
ㄹ　ㄱ　 한다.

한 편 쓰기

3 1과 2에서 쓴 문장을 넣어 리아가 쓴 기행문에 들어갈 견문을 완성해 쓰세요.
단계

❶고	수	∨	동	굴	에	서	는	∨				∨
				∨			∨			∨		∨
	∨			∨	있	었	다	.	❷고	수	∨	동	굴	은	∨
						∨					∨		
				∨	한	다	.						

1 다음 문장의 밑줄 그은 낱말 대신 바꿔 쓰기에 알맞은 낱말을 보기 에서 골라 쓰세요.

낱말
고쳐쓰기

보기

겨냥	목표물을 겨눔.
겨레	같은 핏줄을 이어받은 민족.
겨를	어떤 일을 하다가 생각 따위를 다른 데로 돌릴 수 있는 시간적인 여유.

종유석과 신기한 돌기둥들이 눈을 사로잡아서 지루할 틈이 없었어.

↓

종유석과 신기한 돌기둥들이 눈을 사로잡아서 지루할 [ ][ ] 이/가 없었어.

2 다음 내용처럼 두 문장을 합쳐서 한 문장으로 고치고 따라 쓰세요.

문장
고쳐쓰기

❶ 한여름이라 바깥 날씨는 더웠어.

❷ 하지만 동굴 안은 시원해서 좋았어.

한여름이라 바깥 날씨는 더웠지만 동굴 안은 시원해서 좋았어.

❶ 감자튀김의 겉은 바삭했다.

❷ 하지만 속은 부드러웠다.

 힌트 '바삭했다'와 '하지만'을 '바삭했지만'이라고 합치면 두 문장을 하나로 만들 수 있어요.

↓

감	자	튀	김	의	∨	겉	은	∨			
∨	속	은	∨	부	드	러	웠	다	.		

● 부산 여행에서 찍은 다음 사진들을 보고, 견문을 나타낸 보기 의 문장들을 모두 한 번씩 써넣어 기행문의 가운데 부분을 완성하세요.

광안리

감천 문화 마을

힌트
본 것을 나타낼 때에는
'~을/를 보다', '~이/가 있다' 등의
표현을, 들은 것을 나타낼 때에는
'~(이)라고 한다', '~을/를 듣다'
등의 표현을 사용할 수 있어요.

3
주

보기

광안리 해변에 앉아 가만히 파도 소리를 들었다.

밤에는 광안 대교가 불빛을 밝히는 광안리의 야경을 보았다.

부산에는 산자락을 따라 집들이 늘어선 감천 문화 마을이 있다.

감천 문화 마을은 역사적 가치를 보존하며 마을의 재생을 이루어 낸 공간이라고 한다.

먼저 감천 문화 마을에 도착했다. _____

_____

_____

_____ 조금 가파

른 곳들이 있어 돌아다니는 것이 힘들기도 했지만 엄마가 사진을 많이 찍어 주셔서 즐거웠다.

저녁 무렵에 광안리 해변으로 가, 부모님과 함께 밤까지 그곳에서 머물렀다. _____

_____

_____ 바다를 보고 있으니 공부하느라 느꼈던 힘듦이 다 씻겨 내려가는 것 같았다.

4일 감상 쓰기

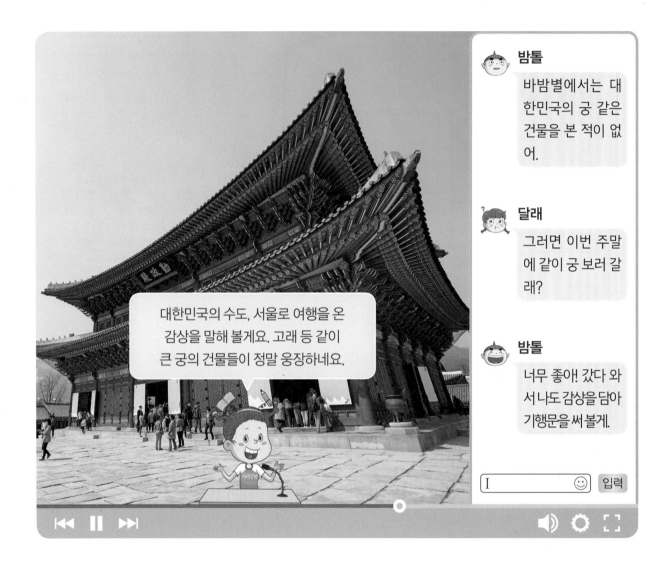

밤톨
바밤별에서는 대한민국의 궁 같은 건물을 본 적이 없어.

달래
그러면 이번 주말에 같이 궁 보러 갈래?

밤톨
너무 좋아! 갔다 와서 나도 감상을 담아 기행문을 써 볼게.

대한민국의 수도, 서울로 여행을 온 감상을 말해 볼게요. 고래 등 같이 큰 궁의 건물들이 정말 웅장하네요.

I 😊 [입력]

기행문에 감상을 써라!

여행하며 든 생각이나 느낌을 감상이라고 해요.

'~처럼', '~같이' 등의 비유하는 표현이나

'느끼다', '생각하다' 등의 표현을 사용해

여행하며 든 생각이나 느낌을 솔직하게 표현해요.

● 사다리 타기를 하여 도착한 곳의 낱말을 따라 쓰며, 기행문에 감상을 쓰는 방법을 알아보아요.

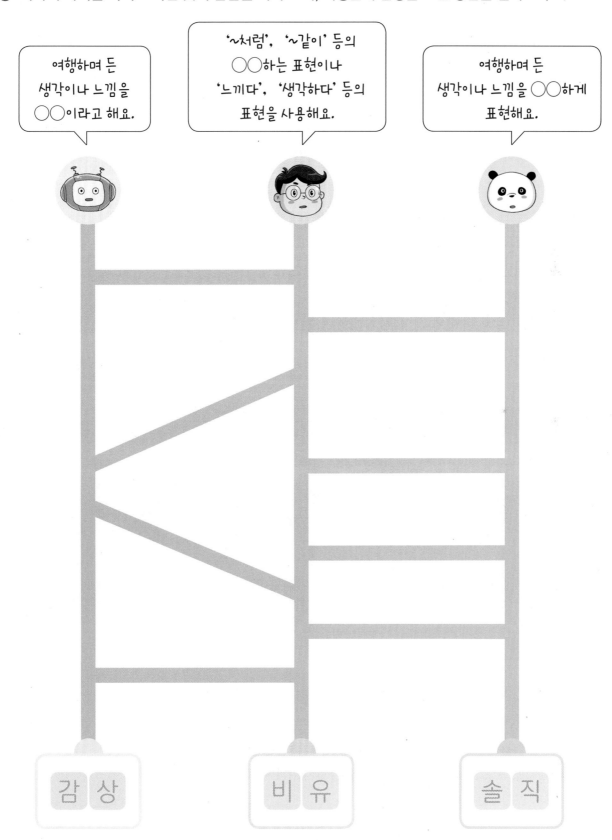

4일 감상 쓰기

● 다음 일기를 읽고, 기행문에 들어갈 감상을 쓰세요.

20○○년 ○○월 ○○일 토요일	날씨: 해가 쨍쨍

제목: 잊지 못할 풍경, 통영

　가족들과 함께 통영으로 여행을 왔다. 한 책에서 통영이 아름다운 풍경으로 유명하다는 이야기를 듣고 정말 와 보고 싶었다.

　통영에 도착해서 가장 먼저 케이블카를 타러 갔다. 케이블카를 타면 미륵산 정상까지 올라갈 수 있는데, 정상의 전망대에서 내려다보이는 통영의 바다는 반짝반짝 아름다워 마치 보석이 빛나는 것 같았다.

　다음으로 간 곳은 동피랑 벽화 마을이었다. 길이 조금 좁고 이리저리 오르막들이 많았지만 곳곳에 있는 다양한 벽화들이 눈을 즐겁게 해 주었다. 벽화 앞에서 사진을 찍는 것도 재미있었다.

　통영 여행은 책에서 보고 기대했던 것보다도 더욱 즐거웠다. 내일 집으로 돌아가는 것이 벌써 아쉬워진다.

🐭 어휘 풀이

▼ **정상** |정수리 정 頂, 위 상 上|　산 위의 맨 꼭대기. ㉔ 산 정상까지 등산을 했다.

▼ **전망대** |펼 전 展, 바랄 망 望, 돈대 대 臺|　멀리 내다볼 수 있도록 높이 만든 대.

　㉔ 전망대에 올라서니 멀리까지 풍경이 모두 보였다.

▼ **벽화** |벽 벽 壁, 그림 화 畫|　건물이나 동굴, 무덤 따위의 벽에 그린 그림.

　㉔ 옛 무덤에는 벽화가 있기도 하다.

낱말 쓰기

1 다음 사진을 보고, 통영에서의 첫 번째 여정과 견문으로 알맞은 낱말을 보기 에서 골라 빈칸에 각각 쓰세요.

보기

꽃밭   바다   정상   바닥

(1) 케이블카를 타고 미륵산 ☐☐ 의 전망대에 올라갔다.

(2) ☐☐ 가 한눈에 내려다보였다.

문장 쓰기

2 보기 의 말을 이용하여 **1** 에서 답한 여정과 견문에 대한 감상을 나타내는 문장을 쓰세요.

보기

가장 아름다웠다   가장 향기로웠다   보석처럼 빛났다   장미같이 붉었다

❶   전망대에서 내려다본 통영 바다는 반짝반짝

             .

❷   지금까지 본 바다 중에서   .

한 편 쓰기

3 **2** 에서 쓴 문장을 넣어 기행문에 들어갈 감상을 완성해 쓰세요.

❶전	망	대	에	서	∨						∨		∨
			∨					∨					∨
				❷지	금	까	지	∨		∨			∨
			∨		∨							.	

1 낱말 고쳐쓰기

다음 문장의 밑줄 그은 낱말 대신 바꿔 쓰기에 알맞은 낱말을 보기 에서 골라 쓰세요.

보기

산꼭대기	산의 맨 위.
산등성이	산의 등줄기.
산모퉁이	산기슭의 쑥 내민 귀퉁이.

케이블카를 타면 미륵산 <u>정상</u>까지 올라갈 수 있다.

↓

케이블카를 타면 미륵산 [ ][ ][ ][ ]까지 올라갈 수 있다.

2 문장 고쳐쓰기

친구가 고쳐 쓴 문장 과 같이 알맞은 말을 넣어 문장을 고치고 따라 쓰세요.

친구가 고쳐 쓴 문장

통영의 바다는 반짝반짝 아름다워 <u>마치</u> 보석이 빛나는 <u>것이다</u>.

↓

통영의 바다는 반짝반짝 아름다워 <u>마치</u> 보석이 빛나는 <u>것 같다</u>.

힌트 '마치'는 '~ 같다' 등의 말과 어울려 쓸 수 있어요.

| 동 | 생 | 의 | ∨ | 목 | 소 | 리 | 는 | ∨ | 마 | 치 | ∨ | 아 |
| 름 | 다 | 운 | ∨ | 노 | 랫 | 소 | 리 | 이 | 다 | . | | |

↓

| 동 | 생 | 의 | ∨ | 목 | 소 | 리 | 는 | ∨ | 마 | 치 | ∨ | 아 |
| 름 | 다 | 운 | ∨ | | | | | ∨ | | | . | |

▶ 정답 및 해설 19쪽

● 보기 의 내용 중 감상이 잘 드러난 문장을 한 가지 골라 기행문을 완성해 보세요.

제주, 숲길을 걷다

부모님의 결혼기념일을 맞아 가족들과 제주도에 다녀왔다. 여러 번 다녀온 제주도지만 이번 여행이 더 기대되었던 것은 흔히 제주도에서 구경했던 바다 대신 사려니 숲길을 걸어 보기로 했기 때문이다.

사려니 숲길은 한라산의 둘레를 따라 걸을 수 있는 길로, 다양한 나무들이 하늘 높이 뻗어 있었다. 직접 보지는 못하였지만 다양한 동물들도 서식하고 있다고 한다.

사려니 숲길을 걸으며 알지 못했던 제주의 모습을 새롭게 경험해 볼 수 있어 좋았다.

보기

뺨을 간지럽히는 시원한 숲 공기에 기분이 좋았다.

높이 자란 나무들이 서로 누가 키가 큰지 겨루고 있는 것 같아 웃음이 나왔다.

발 아래 느껴지는 흙길의 느낌과 상쾌한 숲의 냄새가 어우러져 마음이 뻥 뚫리는 느낌이 들었다.

힌트 · 세 가지 내용 중 마음에 드는 것을 골라 보세요. 어떤 내용을 넣어도 모두 답이 될 수 있어요.

5일 기행문 쓰기

여행을 다녀와서 기행문을 써라!

기행문은 여행하면서 보고, 듣고, 느끼고, 겪은 것을 적은 글이에요.

기행문의 처음 부분에 여행한 까닭이나 목적을 쓰고,

가운데 부분에 여정, 견문, 감상을 쓴 후

끝부분에 여행의 전체를 아우르는 느낌을 써서 한 편의 기행문을 완성해 보아요.

◉ 기행문을 쓰는 방법에 맞게 빈칸에 알맞은 말을 따라 쓰세요.

- 처음 부분에 여행한 까 닭 이나 목 적 을 써요.

- 가운데 부분에 여 정 , 견 문 , 감 상 을 써요.

- 끝부분에 여행의 전체를 아우르는 느낌을 써요.

◉ 위에서 따라 쓴 낱말을 모두 찾아 색칠해 보고, 어떤 모양이 나오는지 알아보아요.

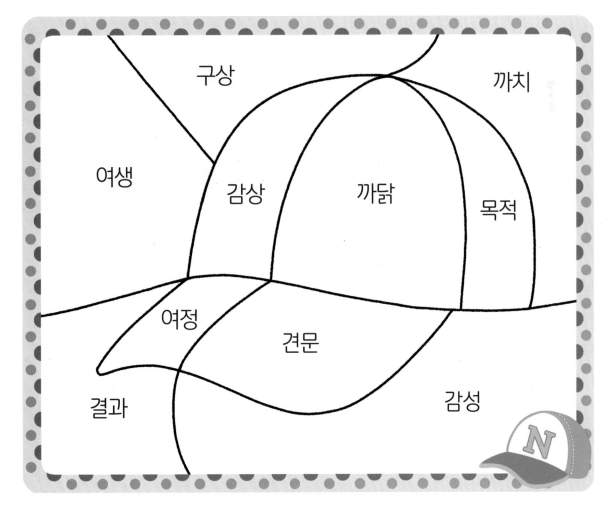

● 동연이가 쓴 다음 글을 읽고, 누나 지연이가 되어 기행문에 들어갈 내용을 쓰세요.

여유와 함께한 순천

　어느 날, 누나와 함께 인터넷으로 여러 가지 동영상 자료들을 찾아보다가 가을철 순천만 습지의 노을 지는 모습에 누가 먼저랄 것도 없이 푹 빠져들고 말았다. 오랫동안 기다린 끝에 10월 말이 되어 드디어 아빠, 엄마, 누나와 함께 순천으로 여행을 떠났다.

　순천만 습지로 향하기 전에, 먼저 도착한 곳은 낙안 읍성 민속 마을이었다. 이곳은 남부 지방의 옛 주거 양식을 살펴볼 수 있는 전통 마을로, 아직도 실제로 사람들이 살고 있다고 한다. 평소에는 보지 못했던 마을 모습이라 새롭다는 생각이 들었다.

　일몰 시간이 다가오기 전, 드디어 우리 가족은 순천만 습지로 이동했다. 도착하고 얼마 안 되어 하늘이 노을빛으로 물들기 시작했다. 싸늘하게 불어오는 늦가을 바람과 흔들리는 갈대, 그리고 노을이 어우러져 여행을 하며 쌓인 피로를 단숨에 씻어 주었다. 기대했던 것 이상으로 아름다워 평생 잊을 수 없을 순간이었다.

　오랜만에 도심에서 떠나 여유를 듬뿍 느낀 행복한 하루였다.

▲ 낙안 읍성 민속 마을

▲ 순천만 습지 갈대밭

🐭 어휘 풀이

▼**습지** |축축할 습 濕, 땅 지 地| 　습기가 많은 축축한 땅. 예 강가에는 습지가 있다.

▼**주거** |살 주 住, 살 거 居| 　일정한 곳에 머물러 삶. 또는 그런 집. 예 주거 환경 개선을 위해 집을 고쳤다.

▼**양식** |모양 양 樣, 법 식 式| 　오랜 시간이 지나면서 자연히 정하여진 방식.
　예 사회적으로 약속된 행동 양식이 있다.

▼**일몰** |날 일 日, 잠길 몰 沒| 　해가 짐. 예 서해에서 일몰을 바라보았다.

▼**도심** |도읍 도 都, 마음 심 心| 　도시의 중심부. 예 도심은 복잡하고 시끄러웠다.

낱말 쓰기

1
단계

다음 그림을 보고, 지연이가 순천으로 여행한 까닭이나 목적으로 알맞은 낱말을 빈칸에 쓰세요.

지연

노을 지는 모습을 담은 **동영상**이 인상 깊어.

동생과 함께 ☐ ○ ㅅ 자료들을 찾아보다가 순천만 습지의 노을 지는 모습을 보고 순천에 꼭 가고 싶었다.

문장 쓰기

2
단계

다음 그림을 보고, 지연이의 여정과 견문, 감상으로 알맞은 말을 각각 쓰세요.

여기서 남부 지방의 **옛 주거 양식**을 살펴볼 수 있어.

지연

▲ 낙안 읍성 민속 마을

❶

먼저 　　　　　　에 갔다. 이곳은 남부 지방의 　　　　　　　　　　살펴볼 수 있는 마을이라고 한다. 내가 사는 동네와는 다른 민속 마을의 모습이 신기했다.

노을이 지는 순천만의 모습을 한순간도 **놓치고 싶지 않아!**

▲ 순천만 습지

❷

다음으로 순천만 습지에 도착해 　　　　　　　　　　　　　모습을 보았다. 한순간도 　　　　　　않을 만큼 아름다웠다.

한 편 쓰기

3
단계

지연이가 기행문의 끝부분에 쓸 수 있는 표현을 보기 에서 골라 쓰세요.

보기

친한 친구들에게 순천 여행을 꼭 추천해 주고 싶다.

동생과 나의 기대를 뛰어넘을 만큼 행복한 여행이었다.

1
낱말
고쳐쓰기

다음 문장에서 밑줄 그은 낱말을 바르게 고쳐 쓴 것을 골라 빈칸에 쓰세요.

(1) <u>오래동안</u> 기다린 끝에 드디어 여행을 떠났다.

(2) <u>오래만에</u> 도심에서 떠나 여유를 듬뿍 느꼈다.

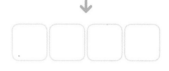
(오랜동안 , 오랫동안)

↓

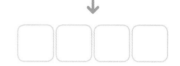
(오랜만에 , 오랫만에)

↓

힌트 '시간상으로 썩 긴 동안.'을 뜻하는 낱말은 '오랫동안'이고,
'오래간만에'의 준말은 '오랜만에'예요.

2
문장
고쳐쓰기

지연이의 말에서 다음 밑줄 그은 부분을 바르게 고치고 문장을 따라 쓰세요.

싸늘하게 불어오는 <u>늦가을</u> 바람과 흔들리는 갈대, 그리고 노을이 <u>어울어져</u> 아름다워!

싸	늘	하	게	∨	불	어	오	는	∨			∨
바	람	과	∨	흔	들	리	는	∨	갈	대	,	그	리
고	∨	노	을	이	∨				∨	아	름	다
워	!											

똑똑한 하루 글쓰기 마무리 내 생각 쓰기로 하루 마무리

● 자신이 다녀온 여행지를 한 군데 떠올려 기행문을 쓰세요.

처음 부분에 여행한 까닭이나 목적을 쓰고, 여정, 견문, 감상이 모두 잘 드러나게 가운데 부분을 써요. 끝부분에 여행의 전체를 아우르는 느낌을 써서 한 편의 기행문을 써 봐요. 그림을 그리거나 사진을 붙여 봐도 좋아요.

생활 어휘 다음 만화를 보며 속담의 뜻을 알아보고, 상황에 맞게 속담을 써 보세요.

원숭이도 나무에서 떨어진다

3주

속담의 뜻을 알아봐요!

원숭이도 나무에서 떨어진다

이 속담은 "아무리 익숙하고 잘하는 사람이라도 어쩌다가 한 번씩 실수할 때가 있다."라는 뜻이랍니다.

이제 이 속담을 넣어 상황에 맞게 써 볼까요?

"☐☐☐☐☐☐ ☐☐☐☐☐☐"더니 항상 달리기에서 1등을 하던 시하가 넘어져서 꼴찌를 했다.

● 기영이가 기차를 타고 방방곡곡을 여행하고 있어요. 어떤 낱말의 뜻인지 알맞은 답을 찾아 따라 쓰며, 마지막 여행지인 부산까지 길을 찾아 가 보세요.

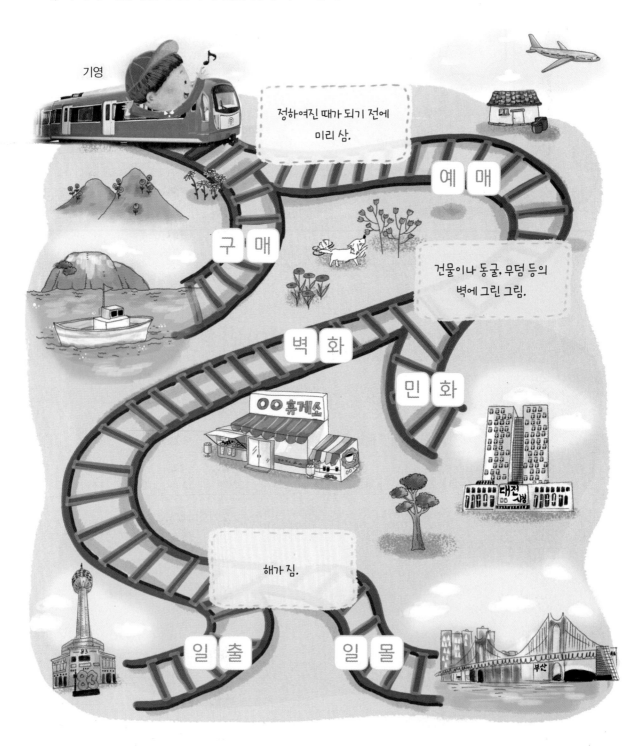

기영

정하여진 때가 되기 전에 미리 삼.

예 매

구 매

건물이나 동굴, 무덤 등의 벽에 그린 그림.

벽 화

민 화

○○휴게소

대전사랑

해가 짐.

일 출

일 몰

부산

 창의 3주에 나왔던 **낱말과 그 뜻**을 익히며 부산까지 가는 길을 찾아봅니다.

● 다음은 친구들이 여행을 다녀와 기행문을 쓴 장소들이에요. 알맞은 도시의 이름을 보기 에서 각각 찾아 쓰세요.

대한민국 전도

경기도 ❶ ㅅ ㅇ

강원도 ❷ ㅊ ㅊ

충청북도 ❹ ㄷ ㅇ

전라남도 ❸ ㅅ ㅊ

경상남도 ❺ ㅌ ㅇ

 융합
국어+사회   3주에 나왔던 여행지를 살펴보며 **각 여행지의 위치**를 지도에서 익혀 봅니다.

다음은 춘천 여행의 여정이에요. 빈칸에 알맞은 숫자를 넣어 각 장소를 차례대로 모두 방문할 수 있도록 코딩 명령을 완성하세요.

오전 11시	레일 바이크
오후 1시	김유정 문학촌
오후 3시	애니메이션박물관

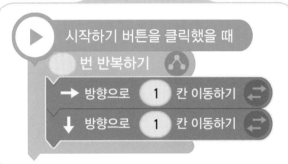

출발부터 → 방향으로 한 칸, ↓ 방향으로 한 칸 이동해요. 세 장소를 모두 지나가려면 이것을 몇 번 반복해야 할까요?

코딩 춘천 여행의 여정 세 군데를 모두 거쳐 가려면 어떤 코딩 명령이 필요한지 생각하며 **코딩 명령을 완성해** 봅니다.

▶ 정답 및 해설 21쪽

◉ 일기 예보를 보고 일몰 시각이 되기 전에 순천만 습지에 방문하려고 해요. 기상 캐스터의 말을 잘 읽고, 일몰 시각을 시계에 그려 보세요.

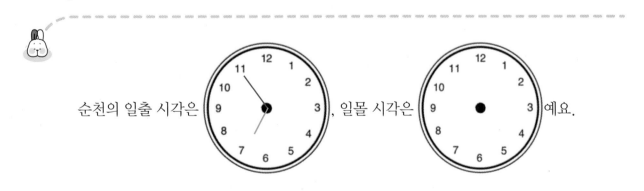

순천의 일출 시각은 [   ], 일몰 시각은 [   ]예요.

 융합 국어+수학 | 일기 예보에 나타난 말을 잘 읽고, 하루를 24시간으로 표현하는 방법을 생각하며 **일몰 시각**을 시계에 그려 봅니다.

1 기행문에 대해 알맞게 말한 친구의 이름을 쓰세요.

> 기찬: 여행하면서 보고, 듣고, 느끼고, 겪은 것을 적은 글이야.
> 글봇: 자신이 잘못한 일을 떠올려 쓰고 미안한 마음과 앞으로의 다짐을 전하는 글이야.

(   )

2 다음은 어떤 장소를 여행한 목적이나 까닭일지 알맞은 장소에 ◯표를 하세요.

> 평소에 역사와 문화에 관심이 많아 수원 화성을 꼭 보고 싶었다. 유명한 수원 왕갈비도 먹어 보고 싶었다.

(1) 수원 (   )
(2) 담양 (   )
(3) 여수 (   )

글쓰기

3 다음은 친구가 쓴 기행문의 여정이에요. 그림에 알맞은 말을 보기 에서 골라 문장을 완성하고 따라 쓰세요.

보기
레일 바이크
롤러코스터

가	장	∨	먼	저	,	오
전	∨	11	시	에	∨	
			∨	탑	승	장	에
도	착	했	다	.		

[4~5] 다음 글을 읽고, 물음에 답하세요.

> 가장 먼저 점심시간에 맞추어 국수 거리에 갔다. 줄지어 서 있는 국수 가게들 중 한 곳에서 국수를 게 눈 감추듯 맛있게 먹었다.
> 배가 부르게 국수를 먹고 난 뒤 오후 1시쯤 국수 거리 근처에 있는 관방제림으로 발걸음을 옮겼다. 관방천에 있는 제방을 '관방제'라고 하고, 이 관방제를 따라 이루어진 나무숲을 '관방제림'이라 한다고 아버지께서 말씀해 주셨다.
> 오후 2시, 다음으로 향한 곳은 죽녹원이었다. 관방제림에서 징검다리를 건너 금방 도착한 죽녹원에서는 다양한 종류의 대나무들로 이루어진 대나무 숲을 볼 수 있었다. 대나무가 다른 식물보다 산소를 많이 배출해 대나무 숲은 다른 곳보다 시원하다고 한다. 정말 에어컨을 켜 둔 방 안에 있는 것 같은 느낌이었다.

4 글쓴이가 가장 먼저 방문한 장소를 찾아 쓰세요.

(   )

5 글쓴이가 본 것이나 들은 것으로 알맞지 않은 것에 ×표를 하세요.

(1) 관방제를 따라 이루어진 나무숲을 관방제림이라고 한다. (   )
(2) 다양한 종류의 대나무들로 이루어진 대나무 숲을 보았다. (   )
(3) 대나무가 다른 식물보다 산소를 많이 배출해 대나무 숲은 다른 곳보다 덥다고 한다. (   )

▶ 정답 및 해설 22쪽

6 기행문에 견문을 쓸 때에 본 것과 들은 것을 나타내기에 알맞은 표현을 각각 선으로 이으세요.

(1) | 본 것 | •   • ① | '~(이)라고 한다', '~을/를 듣다' |

(2) | 들은 것 | •   • ② | '~을/를 보다', '~이/가 있다' |

[7~8] 다음 글을 읽고, 물음에 답하세요.

　케이블카를 타고 미륵산 정상의 전망대에 올라갔다. 바다가 한눈에 내려다보였다. 전망대에서 내려다본 통영 바다는 반짝반짝 보석처럼 빛났다. 지금까지 본 바다 중에서 가장 아름다웠다.

7 글쓴이의 감상으로 알맞지 <u>않은</u> 것에 ×표를 하세요.

(1) 지금까지 본 바다 중에서 가장 아름다웠다.
　　　　　　　　　　　　　　　　(　　)

(2) 케이블카를 타고 미륵산 정상의 전망대에 올라갔다. 　　　　　　　　　　　　(　　)

(3) 전망대에서 내려다본 통영 바다는 반짝반짝 보석처럼 빛났다. 　　　　　　　　(　　)

8 이 글의 종류로 알맞은 것에 ○표를 하세요.
　　　　　(기행문 , 그림일기 , 실험 보고서)

[9~10] 다음 글을 읽고, 물음에 답하세요.

　일몰 시간이 다가오기 전, 드디어 우리 가족은 순천만 습지로 이동했다. 도착하고 얼마 안 되어 하늘이 노을빛으로 물들기 시작했다. 싸늘하게 불어오는 늦가을 바람과 흔들리는 갈대, 그리고 노을이 어우러져 여행을 하며 쌓인 피로를 단숨에 씻어 주었다. 기대했던 것 이상으로 아름다워 평생 잊을 수 없을 순간이었다.

9 이 글에 대해 알맞게 말하지 <u>못한</u> 친구의 이름을 쓰세요.

> 달래: 순천만 습지에 여행 간 일을 쓴 글이야.
> 기찬: 글쓴이가 여행에서 본 것은 노을 지는 장면이야.
> 판판: 글쓴이는 여행지에서 기대했던 것보다 실망스러운 기분을 느꼈어.

　　　　　　　　　　(　　　　　　　)

10 글쓴이와 같은 장소에 다녀와 기행문에 감상을 쓸 때에 알맞은 낱말을 보기 에서 골라 문장을 완성하고, 따라 쓰세요.

> **보기**
> 　노을　　　　별빛

		이	∨	지	는	∨
모	습	이	∨	예	뻐	서	∨
한	순	간	도	∨	놓	치	고	∨
싶	지	∨	않	았	다	.	

실험 보고서를 써 보자!

1-1 실험 보고서에 대한 설명으로 알맞은 것을 골라 ○표를 하세요.

(1) 실험을 하는 과정과 결과를 보고하는 글이다. ( )

(2) 어떤 주제에 대해서 면담이나 조사를 하여 보고하는 글이다. ( )

1-2 글봇이 쓰려는 글로 알맞은 것에 ○표를 하세요.

> 어떤 모양의 종이비행기가 가장 멀리 날아가는지 실험해 봤어. 이제 실험을 하는 과정과 결과를 보고하는 글을 써야지.

독서 감상문	실험 보고서
견학 기록문	선거 연설문

▶정답 및 해설 23쪽

2-1 다음 중 실험 보고서에 실험 과정을 쓰는 방법으로 알맞지 <u>않은</u> 것에 ×표를 하세요.

(1) 실험 과정을 차례대로 정리하여 쓴다. ( )

(2) 실험 순서를 생각나는 대로 자유롭게 쓴다. ( )

(3) 실험 과정을 보여 주는 사진이나 그림을 넣는다. ( )

2-2 다음 중 실험 보고서에 실험 과정을 쓰는 방법에 대해 알맞게 말한 친구의 이름을 쓰세요.

( )

1일 실험 목표 쓰기

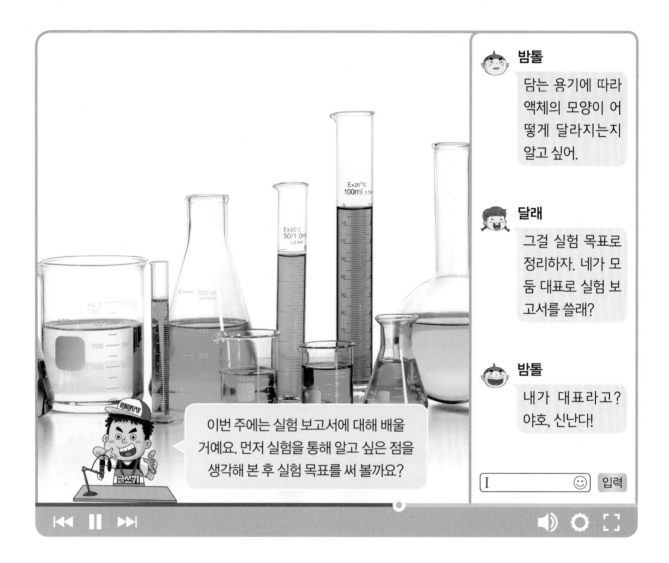

밤톨

담는 용기에 따라 액체의 모양이 어떻게 달라지는지 알고 싶어.

달래

그걸 실험 목표로 정리하자. 네가 모둠 대표로 실험 보고서를 쓸래?

밤톨

내가 대표라고? 야호, 신난다!

이번 주에는 실험 보고서에 대해 배울 거예요. 먼저 실험을 통해 알고 싶은 점을 생각해 본 후 실험 목표를 써 볼까요?

| I | ☺ | 입력 |

실험의 를 써라!

실험 보고서는 실험을 한 뒤에

실험을 하는 과정과 결과를 보고하려고 쓴 글이에요.

실험 보고서에 실험 목표를 쓸 때에는 실험을 하는 까닭이나

실험을 통해 알고 싶은 점 등이 잘 드러나게 쓰면 돼요.

● 실험 목표를 정하여 실험 보고서를 쓰는 방법에 맞게 빈칸에 알맞은 말을 쓰고, 퍼즐판에서 찾아 ○ 표를 하세요.

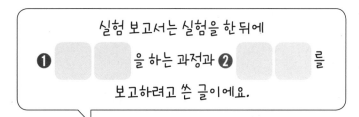

실험 보고서는 실험을 한 뒤에
❶ ☐ ☐ 을 하는 과정과 ❷ ☐ ☐ 를
보고하려고 쓴 글이에요.

정	까	닭	오
실	계	비	리
험	기	관	치
효	서	결	과

실험 목표를 쓸 때에는 실험을 하는 ❸ ☐ ☐ 이나
실험을 통해 알고 싶은 점 등이 잘 드러나게 써요.

실험 목표 쓰기

● 다음 만화를 읽고, 실험 보고서에 들어갈 실험 목표를 정리하여 쓰세요.

🐭 **어휘 풀이**

▼ **상처**|상처 상 傷, 곳 처 處|　몸을 다쳐서 부상을 입은 자리. 예) 넘어져서 무릎에 상처가 났다.

▼ **실험**|열매 실 實, 시험 험 驗|　과학에서, 이론이나 현상을 관찰하고 측정함.

　예) 금속과 나무토막 중에 어떤 것이 물에 뜨는지 실험해 보았다.

▼ **비교**|견줄 비 比, 견줄 교 較|　둘 이상의 것을 함께 놓고 어떤 점이 같고 다른지 살펴봄.

　예) 두 회사의 제품을 비교하여 더 싼 펜을 샀다.

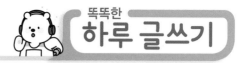

낱말 쓰기

1 단계

다음을 보고, 기찬이가 알고 싶어 하는 것은 무엇인지 빈칸에 알맞은 낱말을 각각 쓰세요.

▲ 금속 막대   ▲ 플라스틱 막대   ▲ 고무 막대

가장 **단단한** 막대는 무엇일까?

금속 막대, 플라스틱 막대, ㄱ ㅁ 막대 중에서 가장 ㄷ ㄷ ㅎ 것이 무엇인지 알고 싶다.

문장 쓰기

2 단계

1의 내용을 바탕으로 친구들이 실험을 통해 무엇을 알 수 있을지 정리하여 쓰세요.

금속 막대,   ,

것이 무엇인지 알 수 있다.

한 편 쓰기

3 단계

2에서 완성한 문장을 넣어 실험 보고서에 들어갈 실험 목표를 쓰세요.

실험 날짜 및 장소	20○○년 5월 20일, 과학실
실험 목표	
실험 준비물	금속 막대, 플라스틱 막대, 고무 막대

똑똑한 하루 글쓰기 고쳐쓰기

▶ 정답 및 해설 23쪽

1
낱말
고쳐쓰기

다음 낱말의 뜻을 보고, 밑줄 그은 낱말을 각각 바르게 고쳐 쓰세요.

| 때다 | 아궁이 따위에 불을 지피어 타게 하다. |
| 떼다 | 붙어 있거나 이어져 있는 것을 떨어지게 하다. |

(1) 이제 실험에 쓸 금속 막대를 몸에서 <u>때</u> <u>어</u> 줄래?

때 어 → ☐ ☐

(2) 아궁이에 장작을 <u>떼어</u> 방을 따뜻하게 해 줄게.

떼 어 → ☐ ☐

2
문장
고쳐쓰기

다음 문장에서 밑줄 그은 부분의 띄어쓰기를 알맞게 고쳐 쓰고, 문장을 따라 쓰세요.

<u>셋중</u> 잘 긁히지 않는 막대가 가장 단단한 막대이겠구나.

↓

		∨		∨	잘	∨	긁	히	지	∨	않	는	∨
막	대	가	∨	가	장	∨	단	단	한	∨	막	대	이
겠	구	나	.										

 힌트 '중'을 '여럿의 가운데.'라는 뜻으로 쓸 때에는 앞에 오는 말과 띄어 써야 해요.

● 다음 만화를 읽고, 실험 보고서의 빈칸에 알맞은 말을 써넣으세요.

실험 날짜 및 장소	20○○년 5월 20일, 과학실
실험 목표	
실험 준비물	막대자석, 쇠구슬, 자

힌트 실험을 하는 까닭이나 실험을 통해 알고 싶은 점이 분명하게 드러나도록 실험 목표를 써요.

실험 과정 쓰기

기찬
어떤 용액을 넣어야 비눗방울이 오래가는지 실험한 과정을 차례대로 정리해야지.

글봇
사진이나 그림을 넣으면 이해가 더 쉽게 될 거야.

밤톨
어서 쓰고 비눗방울 놀이하자!

실험 목표를 이루기 위해 실험한 과정을 차례대로 정리해 보아요.

실험의 과정을 써라!

실험 보고서에는 실험 목표를 이룰 수 있는 실험 과정을 써야 해요.

실험 과정을 쓸 때에는 실험 순서가 자연스럽게 이어지도록 내용을 차례대로 정리해요.

이때, 실험 과정을 보여 주는 사진이나 그림을 넣으면

어떤 방법으로 실험을 했는지 이해하기 쉽답니다.

▶ 정답 및 해설 24쪽

● 사다리 타기를 하여 도착한 곳의 낱말을 따라 쓰며, 실험 보고서에 실험 과정을 쓰는 방법을 알아보아요.

실험 보고서에는 실험 목표를 이룰 수 있는 실험 ◯◯을 써요.

실험 순서가 자연스럽게 이어지도록 내용을 ◯◯대로 정리해요.

◯◯이나 그림을 넣으면 어떤 방법으로 실험을 했는지 이해하기 쉬워요.

과 정

차 례

사 진

실험 과정 쓰기

● 다음 실험 보고서를 읽고, 실험 과정을 완성하세요.

실험 날짜 및 장소	20○○년 5월 21일, 과학실
실험 목표	식물이 잘 자라는 흙의 특징을 알 수 있다.
실험 준비물	비커 두 개, 화단 흙, 운동장 흙, 숟가락 두 개, 물, 유리 막대 두 개, 핀셋, 거름종이 두 장
실험 과정	**화단 흙 운동장 흙** ❶ 비커 두 개에 화단 흙과 운동장 흙을 각각 50밀리리터 넣는다.　❷ 화단 흙이 든 비커와 운동장 흙이 든 비커에 같은 양의 물을 붓고 유리 막대로 저은 후 잠시 놓아둔다.　**?**
실험 결과	**화단 흙 운동장 흙**　화단 흙은 물에 뜬 물질이 많지만 운동장 흙은 물에 뜬 물질이 거의 없다.
알게 된 사실	식물이 잘 자라는 흙에는 물에 뜬 물질이 많이 섞여 있다.

🐻 어휘 풀이

▼ **특징**|특별할 특 特, 부를 징 徵|　다른 것에 비하여 특별히 눈에 뜨이는 점.
　　㉄ 소나무는 잎이 바늘처럼 뾰족하다는 특징이 있다.
▼ **핀셋**　손으로 집기 어려운 작은 물건을 집는 데에 쓰는, 족집게와 비슷한
　　기구.
▼ **거름종이**　액체 속에 들어 있는 불순물을 걸러 내는 종이.
　　㉄ 녹차를 마시기 위해 거름종이 위에 찻잎을 덜고 뜨거운 물을 부었다.

▲ 핀셋

▶ 정답 및 해설 24쪽

낱말 쓰기

 실험 과정에서 ❷ 뒤에 다음 단계를 추가하려고 해요. 빈칸에 알맞은 말을 각각 쓰세요.

> 두 흙의 물에 뜬 **물질**을 핀셋으로 건져서 거름종이 위에 올려놓았어.

화단 흙   운동장 흙

> 두 거름종이 위에 있는 물질의 **양**을 비교해 봤지.

(1) 화단 흙과 운동장 흙의 물에 뜬 ☐ㅁ☐ ☐ㅈ☐ 을 핀셋으로 건져서 거름종이 위에 올려놓는다.

(2) 두 거름종이 위에 올려놓은 물질의 ☐ㅇ☐ 을 비교해 본다.

문장 쓰기

 1에서 답한 내용을 한 문장으로 정리하여 실험 과정의 ❸에 써넣으세요.

실험 과정

화단 흙   운동장 흙

❶ 비커 두 개에 화단 흙과 운동장 흙을 각각 50밀리리터 넣는다.

❷ 화단 흙이 든 비커와 운동장 흙이 든 비커에 같은 양의 물을 붓고 유리 막대로 저은 후 잠시 놓아둔다.

❸

4
주

1 다음 밑줄 그은 낱말을 각각 바르게 고쳐 쓰세요.

낱말
고쳐쓰기

화단 흙과 운동장 흙 외에 필요한 실험 준비물은 뭐야?

비커, 숟가락, 유리 막대, 거름종이 각각 두 개씩이랑 물, 핀셋이야.

(1) 숟 가 락 → ☐ ☐ ☐

(2) 핀 셉 → ☐ ☐

힌트
낱말의 받침을 바르게 고쳐 써요.

2 다음 ⟨ 친구가 고쳐 쓴 문장 ⟩과 같이 두 문장을 하나로 합쳐서 한 문장으로 만들어 쓰세요.

문장
고쳐쓰기

┌ 친구가 고쳐 쓴 문장 ┐

화단에서는 놀 수 없다. 하지만 운동장에서는 놀 수 있다.

↓

화단에서는 놀 수 없지만 운동장에서는 놀 수 있다.

화단 흙은 물에 뜬 물질이 많다. 하지만 운동장 흙은 물에 뜬 물질이 거의 없다.

↓

화	단	∨	흙	은	∨	물	에	∨	뜬	∨	물	질
이	∨				∨	운	동	장	∨	흙	은	∨	물
에	∨	뜬	∨	물	질	이	∨	거	의	∨	없	다	.

● 다음은 실험 보고서의 일부분이에요. 실험 과정에 들어갈 내용을 보기 에서 골라 차례대로 쓰세요.

보기

> 불을 끄고 물의 높이를 처음과 비교해 본다.
>
> 주전자에 물을 반 정도 붓고, 유성 펜으로 물의 높이를 표시한다.
>
> 물을 계속 가열하면서 물이 끓을 때 나타나는 변화를 관찰해 본다.

실험 목표	물을 가열하면서 일어나는 변화를 알 수 있다.
실험 준비물	주전자, 물, 유성 펜, 가스버너, 면장갑
실험 과정	❶ ❷ ❸

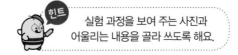

실험 과정을 보여 주는 사진과
어울리는 내용을 골라 쓰도록 해요.

실험 결과 쓰기

밤톨
불투명한 컵과 투명한 컵의 그림자를 비교해 본 결과가 어땠었지?

글봇
불투명한 컵의 그림자는 진하고 선명한데, 투명한 컵의 그림자는 연하고 흐릿했잖아.

밤톨
맞다! 다음에는 꼭 적어 놔야지.

실험이 어떻게 끝났나요? 친구들이 이해하기 쉽게 실험 결과를 써 보아요.

I ☺ 입력

실험의 를 써라!

실험 보고서에 실험 결과를 쓸 때에는

실험 과정이 끝났을 때의 상황을 사실대로 쓰면 돼요.

따라서 실험에서 나타난 결과를 빠짐없이 기록해 두는 것이 중요하답니다.

또한, 실험 결과를 보여 주는 사진이나 그림을 넣으면

실험 결과를 좀 더 분명하게 알 수 있어요.

▶ 정답 및 해설 25쪽

◉ 그림에 맞는 퍼즐 모양을 찾아 ○표를 하고, 실험 결과를 쓰는 방법에 맞게 빈칸에 들어갈 낱말을 알아보아요.

계획될

실험 과정이 ○○○ 때의 상황을 사실대로 쓴다.

이어질

끝났을

 실험 보고서에 실험 결과를 쓰는 방법을 생각하며 문장을 따라 쓰세요.

거	울	에	∨	비	친	∨	인	형	의	∨	상	하
는	∨	바	꾸	어	∨	보	이	지	∨	않	았	지	만	∨
좌	우	는	∨	바	꾸	어	∨	보	였	다	.	

● 다음 대화를 읽고, 실험 보고서에 들어갈 실험 결과를 쓰세요.

낱말 쓰기

다음 사진을 보고, 달래가 실험한 과정을 정리하려고 해요. 빈칸에 알맞은 말을 각각 쓰세요.

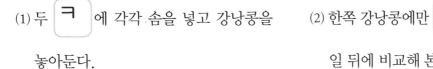

(1) 두 ㅋ 에 각각 솜을 넣고 강낭콩을

놓아둔다.

(2) 한쪽 강낭콩에만 ㅁ 을 주어서 일주

일 뒤에 비교해 본다.

문장 쓰기

1 에서 답한 과정이 끝났을 때에 찍은 사진이에요. 실험이 어떻게 끝났는지 빈칸에 알맞은 말을 **보기** 에서 모두 골라 쓰세요.

물을 주지 않음.   물을 줌.

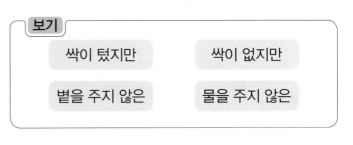

보기

싹이 텄지만   싹이 없지만

볕을 주지 않은   물을 주지 않은

물을 준 강낭콩은 ☐☐☐☐☐☐☐ ,

☐☐ 강낭콩은 싹이 트지 않았다.

한 편 쓰기

2 에서 쓴 문장을 넣어 실험 보고서에 들어갈 실험 결과를 완성하세요.

			∨		∨	강	낭	콩	은	∨		∨
		,			∨		∨			∨	강
낭	콩	은	∨			∨			∨		.

▶ 정답 및 해설 25쪽

1
낱말
고쳐쓰기

다음 문장의 밑줄 그은 낱말을 각각 바르게 고쳐 쓰세요.

(1) <u>강남콩</u>으로 실험을 했다.

↓

□ □ □

(2) 한쪽 컵에 담긴 솜만 물에 <u>훔뻑</u> 젖게 했다.

↓

□ □

2
문장
고쳐쓰기

다음 친구가 고쳐 쓴 문장 과 같이 밑줄 그은 말을 알맞은 말로 고치고, 문장을 따라 쓰세요.

┌─ 친구가 고쳐 쓴 문장

밖에서 놀대 저녁 식사 전에 들어오렴.

↓

밖에서 놀되 저녁 식사 전에 들어오렴.

 힌트 어떤 일을 말하면서 그와 관련된 조건이나 세부 내용을 덧붙일 때에 '-되'로 연결해 줄 수 있어요.

컵, 솜, 온도, 공기 등의 조건은 모두 같게 <u>하대</u> 한쪽에만 물을 주었다.

↓

컵	,	솜	,	온	도	,	공	기	V	등	의	V
조	건	은	V	모	두	V	같	게	V		V	한
쪽	에	만	V	물	을	V	주	었	다	.		

● 다음 실험 보고서에 들어갈 실험 결과로 알맞은 것을 보기 에서 골라 빈칸에 쓰세요.

보기

막대자석의 모든 부분에 클립이 고루고루 붙었다.

막대자석의 오른쪽 끝부분과 왼쪽 끝부분에 클립이 많이 붙었다.

실험 날짜 및 장소	20○○년 5월 23일, 과학실
실험 목표	막대자석에서 힘의 세기가 가장 큰 부분을 찾을 수 있다.
실험 준비물	막대자석, 클립, 끈, 플라스틱 통
실험 과정	❶ 플라스틱 통에 클립을 골고루 부어 놓는다. ❷ 막대자석의 양 끝에 끈을 매고, 끈을 들어 올리며 막대자석을 집는다. ❸ 막대자석을 클립이 놓여 있는 통에 두었다가 천천히 들어 올리며 막대자석에 클립이 붙어 있는 모습을 관찰해 본다.
실험 결과	

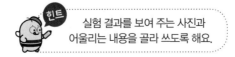

힌트 실험 결과를 보여 주는 사진과
어울리는 내용을 골라 쓰도록 해요.

4일 실험을 통해 알게 된 사실 쓰기

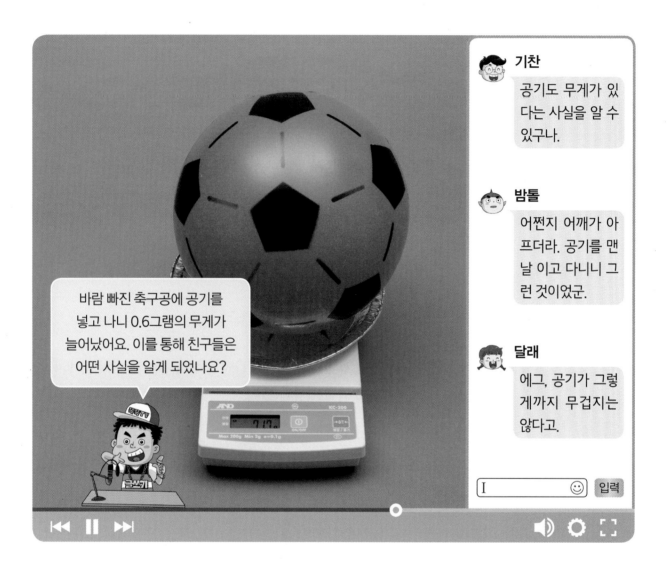

기찬
공기도 무게가 있다는 사실을 알 수 있구나.

밤톨
어쩐지 어깨가 아프더라. 공기를 맨날 이고 다니니 그런 것이었군.

달래
에그, 공기가 그렇게까지 무겁지는 않다고.

바람 빠진 축구공에 공기를 넣고 나니 0.6그램의 무게가 늘어났어요. 이를 통해 친구들은 어떤 사실을 알게 되었나요?

실험을 통해 알게 된 사실을 써라!

실험 보고서에 실험 결과를 쓴 다음에는 실험을 통해 알게 된 사실을 써야 해요.

실험 결과에서 이끌어 낸 판단이나 결론을 정리하여 쓰면 된답니다.

실험 결과가 실험 목표와 어떤 관련이 있는지 생각해 보고,

알고 싶었던 점이 해결된 내용으로 쓰면 좋아요.

◉ 실험을 통해 알게 된 사실을 쓰는 방법에 맞게 빈칸에 알맞은 말을 쓰고, 퍼즐판에서 찾아 ◯표를 하세요.

실험 ❶ [ ][ ]를 쓴 다음에 써요.

실험 결과에서 이끌어 낸 판단이나 ❷ [ ][ ]을 정리하여 쓰면 돼요.

차	윤	세	수
결	과	표	해
범	정	오	결
결	론	리	문

실험 결과가 실험 목표와 어떤 관련이 있는지 생각해 보고, 알고 싶었던 점이 ❸ [ ][ ] 된 내용으로 쓰면 좋아요.

실험을 통해 알게 된 사실 쓰기

● 다음 실험 내용을 보고, 실험을 통해 알게 된 사실은 무엇인지 쓰세요.

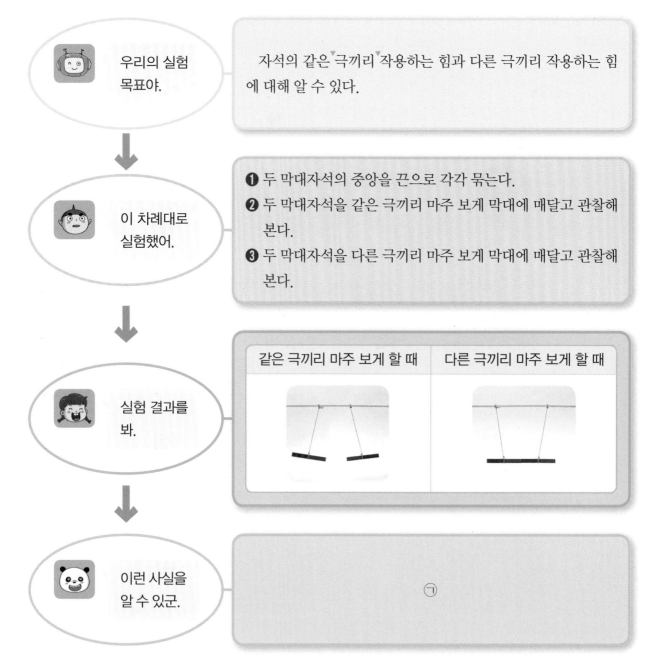

우리의 실험 목표야.

자석의 같은 ▼극끼리 ▼작용하는 힘과 다른 극끼리 작용하는 힘에 대해 알 수 있다.

이 차례대로 실험했어.

❶ 두 막대자석의 중앙을 끈으로 각각 묶는다.
❷ 두 막대자석을 같은 극끼리 마주 보게 막대에 매달고 관찰해 본다.
❸ 두 막대자석을 다른 극끼리 마주 보게 막대에 매달고 관찰해 본다.

실험 결과를 봐.

같은 극끼리 마주 보게 할 때	다른 극끼리 마주 보게 할 때

이런 사실을 알 수 있군.

㉠

어휘 풀이

▼**극**|지극할 극 極| 자석에서 끌어당기거나 밀어 내는 힘이 가장 센 양쪽의 끝.
　㉠ 쇠붙이가 자석의 극에 찰가닥 달라붙었다.
▼**작용**|지을 작 作, 쓸 용 用| 어떠한 현상이 일어나는 원인이나 대상이 다른 대상이나 원인에 영향을 미침. ㉠ 소금은 세균을 죽이는 작용을 한다.

낱말 쓰기

실험이 끝났을 때의 상황을 찍은 사진을 보고 실험 결과를 정리할 때, 빈칸에 알맞은 말을 보기 에서 각각 골라 쓰세요.

보기

| 강한 | 약한 | 같은 | 다른 |

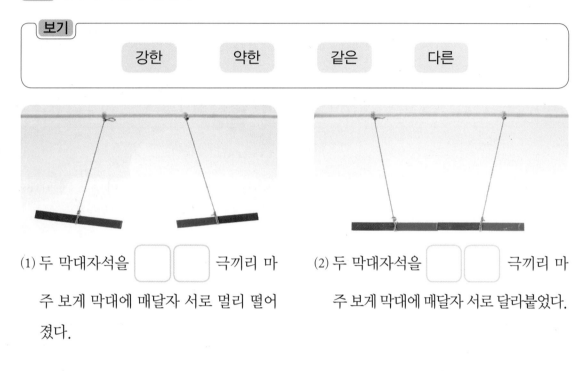

(1) 두 막대자석을 [ ] [ ] 극끼리 마주 보게 막대에 매달자 서로 멀리 떨어졌다.

(2) 두 막대자석을 [ ] [ ] 극끼리 마주 보게 막대에 매달자 서로 달라붙었다.

문장 쓰기

1의 내용을 보고, 알 수 있는 것은 무엇인지 빈칸에 알맞은 말을 넣어 한 문장으로 쓰세요.

자석은 [ ] [ ] [ ] [ ] 서로 밀어 내지만,

[ ] 서로 끌어당긴다.

한 편 쓰기

2에서 완성한 문장을 넣어 ㉠에 들어갈 실험을 통해 알게 된 사실을 쓰세요.

알게 된 사실	

▶ 정답 및 해설 26쪽

1

낱말
고쳐쓰기

두 낱말의 뜻과 예를 보고, 문장의 밑줄 그은 낱말을 바르게 고쳐 쓰세요.

> **다르다** 비교가 되는 두 대상이 서로 같지 아니하다.
> 예 사자와 고래는 둘 다 동물이지만 사는 환경이 다르다.
>
> **틀리다** 셈이나 사실 따위가 그르게 되거나 어긋나다.
> 예 답이 틀린 수학 문제를 다시 풀어 보았다.

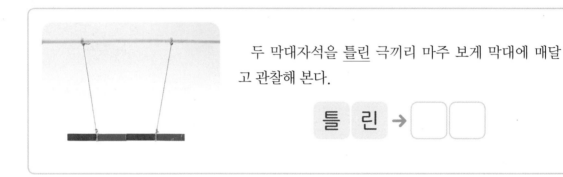

두 막대자석을 틀린 극끼리 마주 보게 막대에 매달고 관찰해 본다.

틀 린 → ☐ ☐

2

문장
고쳐쓰기

다음 글봇의 말에서 밑줄 그은 부분의 띄어쓰기를 바르게 고쳐 쓰고, 문장을 따라 쓰세요.

자석의 같은 극 끼리 작용하는 힘과 다른 극 끼리 작용하는 힘에 대해 알 수 있다.

자	석	의	∨	같	은	∨			∨	작	용
하	는	∨	힘	과	∨	다	른	∨		∨	작
용	하	는	∨	힘	에	∨	대	해	∨	알	∨	수	∨
있	다	.									

힌트 '〜끼리'는 둘 이상을 나타내는 말에 붙여 써서 '그 부류만이 서로 함께'라는 뜻을 더해 주어요.

◉ 친구들이 실험을 한 뒤 실험 보고서를 쓰려고 해요. 친구들이 실험을 통해 알게 된 사실은 무엇인지 빈칸에 정리하여 쓰세요.

우리의 실험 목표는 '추의 무게와 늘어난 용수철의 길이 사이의 관계를 알 수 있다.'였어.

추의 개수를 한 개씩 늘려 가면서 늘어난 용수철의 길이를 자로 재었지.

그때 기록한 결과야. 추가 한 개씩 늘어날수록 용수철은 3센티미터씩 일정하게 늘어났어.

추의 무게(g)	0	20	40	60	80	100
늘어난 용수철의 길이(cm)	0	3	6	9	12	15

용수철에 걸어 놓은 추의 무게가 일정하게 늘어나면 용수철의 길이도 일정하게 늘어난다는 사실을 알 수 있구나.

힌트
실험 결과에서 이끌어 낸 판단이나 결론을 정리하여 써요.

실험을 통해 알게 된 사실

4
주

5일 실험 보고서 쓰기

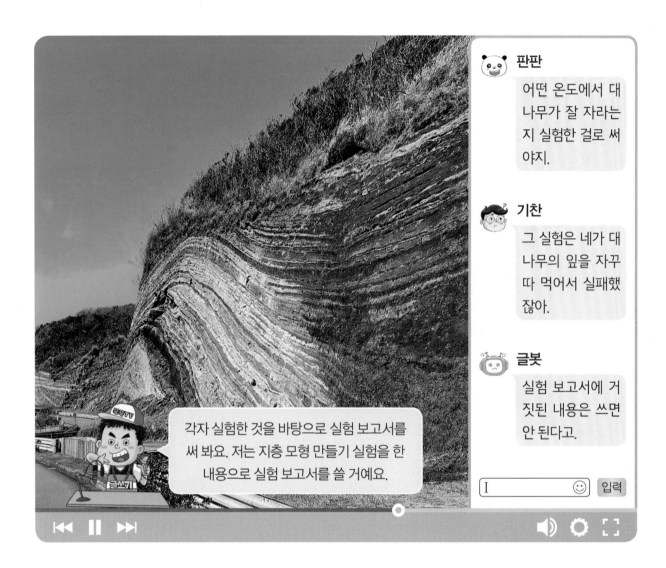

판판
어떤 온도에서 대나무가 잘 자라는지 실험한 걸로 써야지.

기찬
그 실험은 네가 대나무의 잎을 자꾸 따 먹어서 실패했잖아.

글봇
실험 보고서에 거짓된 내용은 쓰면 안 된다고.

각자 실험한 것을 바탕으로 실험 보고서를 써 봐요. 저는 지층 모형 만들기 실험을 한 내용으로 실험 보고서를 쓸 거예요.

I   ☺   입력

 **를 써라!**

실험 보고서에는 실험 날짜 및 장소, 실험 목표, 실험 준비물,
실험 과정, 실험 결과, 실험을 통해 알게 된 사실 등을 써요.
실험 보고서를 쓸 때에는 읽는 사람이 이해하기 쉽게 쓰고,
과장한 내용이나 거짓된 내용은 쓰지 않도록 해요.

▶ 정답 및 해설 27쪽

● 실험 보고서에 들어가야 할 내용을 생각하며, 빈칸에 알맞은 말을 따라 쓰세요.

실험 보고서를 쓸 때에는 실험 **날** **짜** 및 **장** **소** , 실험 **목** **표** , 실험
준 **비** **물** , 실험 **과** **정** , 실험 **결** **과** , 실험을 통해 **알** **게** **된**
사 **실** 등을 써야 해요.

● 위에서 따라 쓴 말을 모두 찾아 색칠해 보고, 어떤 모양이 나오는지 알아보아요.

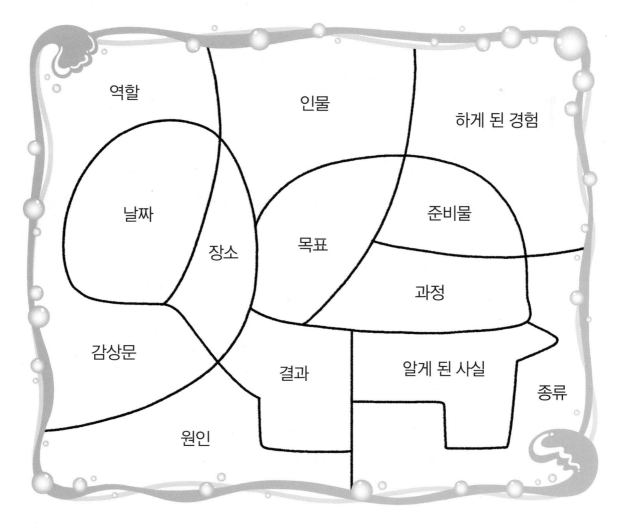

◎ 다음 만화를 읽고, 실험 보고서에 들어갈 내용을 쓰세요.

🐭 **어휘 풀이**

▼**어차피**|어조사 어 於, 이 차 此, 저 피 彼|　이렇게 하든지 저렇게 하든지. 또는 이렇게 되든지 저렇게 되든지. 예 어차피 주사를 맞아야 한다면 가장 먼저 맞겠다.

▼**우선**|어조사 우 于, 먼저 선 先|　어떤 일에 앞서서. 예 글씨를 쓸 때에는 우선 바른 자세로 앉아야 한다.

▼**민망**|근심할 민 憫, 멍할 망 惘|**하네**　낯을 들고 대하기가 부끄럽네. 예 나 혼자 늦어서 민망하네.

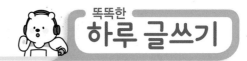
낱말 쓰기

1 단계

친구들이 실험한 과정을 정리할 때, 빈칸에 알맞은 말을 각각 쓰세요.

막대자석 한 개일 때와
두 개를 이어 붙인 것일 때에 붙는
클립의 개수를 각각 세어 보자.

(1) 막대자석 한 개를 ㅋ ㄹ 에 가져가서 붙는 개수를 관찰해 본다.

(2) 막대자석 ㄷ 개를 이어 붙인 것을 클립에 가져가서 붙는 개수를 관찰해 본다.

문장 쓰기

2 단계

다음은 **1**에서 답한 과정에 따라 기록한 실험 결과예요. 이를 한 문장으로 정리하여 쓰세요.

막대자석의 개수	S ▬ N (한 개)	S N S N (두 개)
막대자석에 붙은 클립의 개수	30개	39개

☐☐☐☐☐☐☐☐☐☐☐☐ 에는 클립이 30개 붙었고, 막대자석 두 개를 이어 붙인 것에는 ☐☐☐☐☐☐☐☐☐☐ .

한 편 쓰기

3 단계

1과 **2**에서 답한 내용을 바탕으로 하여 친구들이 실험을 통해 알게 된 사실을 보기 에서 골라 쓰세요.

보기

막대자석 한 개보다 막대자석 두 개를 이어 붙인 것에 클립이 더 많이 붙는다.

막대자석 한 개와 막대자석 두 개를 이어 붙인 것에 붙는 클립의 개수는 똑같다.

4
주

1 다음 밑줄 그은 낱말을 바르게 고쳐 쓰세요.

낱말
고쳐쓰기

먼저 막대자석 한 개를 클립에 가져가서 붙는 <u>갯수</u>를 세자.

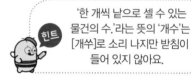

힌트

'한 개씩 낱으로 셀 수 있는 물건의 수.'라는 뜻의 '개수'는 [개쑤]로 소리 나지만 받침이 들어 있지 않아요.

갯수 → ☐☐

2 다음 여자아이의 말에서 밑줄 그은 부분의 띄어쓰기를 알맞게 고쳐 쓰고, 문장을 따라 쓰세요.

문장
고쳐쓰기

막대자석 두 개를 이어 붙여도 어차피 자석 <u>한덩어리</u>잖아.

힌트

'덩어리'가 단위를 나타내는 말로 쓰이면 앞말과 띄어 써요.

막	대	자	석	∨	두	∨	개	를	∨	이	어	∨
붙	여	도	∨	어	차	피	∨	자	석	∨		∨
			.									

▶정답 및 해설 27쪽

○ 지층을 만들어 보는 실험을 한 뒤, 실험 보고서를 쓰려고 해요. ⬜ 안에 들어갈 말을 **보기** 에서 각각 골라 쓰고, 밑줄 그은 부분에 실험을 통해 알게 된 사실을 써넣으세요.

보기

| 순서 | 온도 | 색깔 | 뭉쳐서 섞는다 | 차례차례 쌓는다 |

실험 날짜 및 장소	20○○년 5월 30일, 과학실
실험 목표	지층이 쌓이는 ⬜를 알 수 있다.
실험 준비물	네 가지 ⬜의 고무찰흙, 칼
실험 과정	❶ 고무찰흙을 색깔별로 ⬜. ❷ 쌓은 고무찰흙을 반으로 잘라서 단면을 관찰해 본다.
실험 결과	줄무늬가 보이고, 아래쪽부터 고무찰흙을 쌓은 순서대로 색깔이 보였다.
알게 된 사실	_____ _____

힌트 실험을 통해 알게 된 사실은 실험 결과가 실험 목표와 어떤 관련이 있는지 생각해 보고, 알고 싶었던 점이 해결된 내용으로 써요.

생활 어휘 | 다음 만화를 보며 속담의 뜻을 알아보고, 상황에 맞게 속담을 써 보세요.

낮말은 새가 듣고 밤말은 쥐가 듣는다

속담의 뜻을 알아봐요!

낮말은 새가 듣고 밤말은 쥐가 듣는다

이 속담은 "아무도 안 듣는 데서라도 말조심해야 한다." 라는 뜻이랍니다.

이제 이 속담을 넣어 상황에 맞게 써 볼까요?

문밖에서 우연히 수아의 비밀을 듣게 된 나는 "☐☐☐☐☐☐☐☐☐☐☐☐☐☐☐" 라는 속담이 떠올랐다.

◉ 어린이 공원에 온 송이가 다양한 실험을 할 수 있는 과학관에 가려고 해요. 뜻에 알맞은 낱말을 찾아 따라 쓰며 과학관까지 가는 길을 선으로 이어 보세요.

창의   4주에 나왔던 **낱말과 그 뜻**을 익히며 실험을 할 수 있는 곳인 과학관까지 찾아갑니다.

● 물을 가열할 때에 일어나는 변화를 알아보기 위해 실험을 하려고 해요. 다음 차례대로 실험 준비물을 마련하며 길을 찾아갈 수 있도록 순서 카드에 알맞은 숫자를 쓰세요.

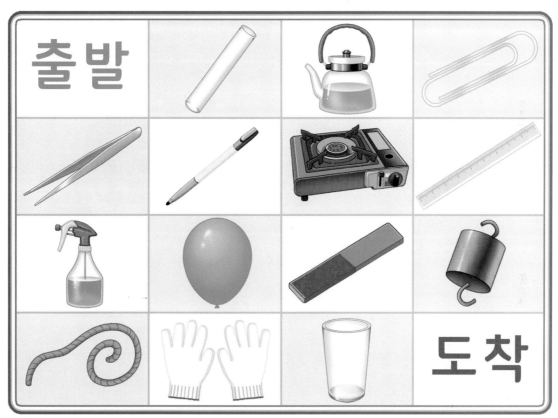

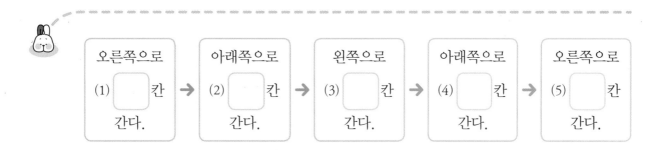

오른쪽으로 (1) ☐ 칸 간다.	→	아래쪽으로 (2) ☐ 칸 간다.	→	왼쪽으로 (3) ☐ 칸 간다.	→	아래쪽으로 (4) ☐ 칸 간다.	→	오른쪽으로 (5) ☐ 칸 간다.

 코딩 필요한 실험 준비물을 마련하며 **순서 카드를 완성**해 봅니다.

● 달래는 싹을 틔운 강낭콩을 화분에 심고, 일주일마다 잎과 줄기를 그림으로 그렸어요. 달래가 실험을 통해 알게 된 사실은 무엇인지 빈칸에 알맞은 낱말을 각각 쓰세요.

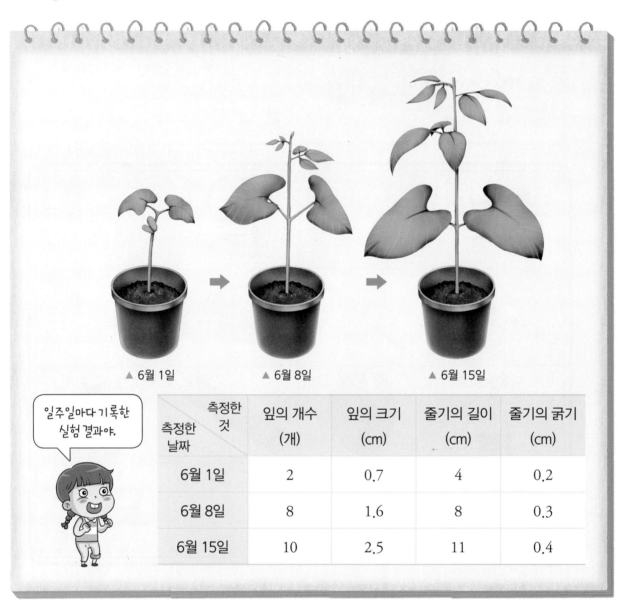

▲ 6월 1일   ▲ 6월 8일   ▲ 6월 15일

일주일마다 기록한 실험 결과야.

측정한 날짜 \ 측정한 것	잎의 개수 (개)	잎의 크기 (cm)	줄기의 길이 (cm)	줄기의 굵기 (cm)
6월 1일	2	0.7	4	0.2
6월 8일	8	1.6	8	0.3
6월 15일	10	2.5	11	0.4

강낭콩은 자라면서 잎의 [　][　]가 많아지고, 크기가 점점 커진다. 그리고 줄기의 길이가 길어지고, [　][　]도 점점 굵어진다.

융합
국어+과학
달래가 기록한 그림과 실험 결과를 살펴보며 강낭콩의 **잎과 줄기에 생긴 변화**를 정리해 봅니다.

● 다음 다섯 고개 놀이의 정답은 무엇인지 빈칸에 들어갈 실험 도구를 보기 에서 골라 쓰세요.

고개	질문	대답
	액체를 담을 수 있는 도구인가요?	아니요, 액체를 담을 수 있는 도구가 아니에요.
	다른 물건의 무게를 다는 데 사용되는 도구인가요?	아니요, 물건의 무게를 다는 데 사용되는 도구가 아니에요.
	모양이 한 가지인가요?	아니요, 여러 가지 모양이 있어요.
	두 개의 극을 가지고 있는 도구인가요?	예, 두 개의 극을 가지고 있는 도구예요.
	쇠붙이를 끌어당기는 힘이 있나요?	예, 쇠붙이를 끌어당기는 힘이 있어요.
	설명하는 것은 ☐ 인가요?	예, 맞아요.

4주

보기

▲ 비커   ▲ 자석   ▲ 전자저울   ▲ 유리구슬

(   )

 창의   다섯 가지 질문과 대답을 하며 놀이를 해 보고, **설명하는 실험 도구의 특징**을 살펴 알맞은 것을 찾아봅니다.

1 다음 설명에 맞는 글의 종류에 ○표를 하세요.

> 실험을 하는 과정과 결과를 보고하는 글이다.

(실험 보고서 , 견학 기록문)

2 다음 그림에서 여자아이가 말한 내용과 관련 있는 것을 보기 에서 골라 쓰세요.

막대자석을 얼마나 가까이 가져가야 쇠구슬이 움직일까?

보기

| 실험 날짜 | 실험 장소 | 실험 목표 |

( )

[3~4] 다음 글을 읽고, 물음에 답하세요.

실험 목표	식물이 잘 자라는 흙의 특징을 알 수 있다.
실험 과정	❶ 비커 두 개에 화단 흙과 운동장 흙을 각각 50밀리리터 넣는다. ❷ 화단 흙이 든 비커와 운동장 흙이 든 비커에 같은 양의 물을 붓고 유리 막대로 저은 후 잠시 놓아둔다. ❸ 화단 흙과 운동장 흙의 물에 뜬 물질을 핀셋으로 건져서 거름종이 위에 올려놓고 물질의 양을 비교해 본다.

3 어떤 과정으로 실험했는지 차례에 맞게 번호를 쓰세요.

(1) 물에 뜬 물질의 양을 비교하였다. ( )
(2) 비커 두 개에 화단 흙과 운동장 흙을 각각 넣었다. ( )
(3) 흙이 담긴 두 비커에 물을 붓고 저은 후 잠시 놓아두었다. ( )

4 다음 중 이 글의 실험 과정에 보충할 내용을 알맞게 말한 친구의 이름을 쓰세요.

실험 준비물을 누가 가져왔는지 기록해 두어야지.

달래

이해하기 쉽도록 실험 과정을 보여 주는 사진이나 그림을 넣을래.

기찬

( )

5 다음 두 문장을 한 문장으로 알맞게 연결한 문장에 ○표를 하세요.

> 화단 흙에서는 식물이 잘 자란다. 하지만 운동장 흙에서는 식물이 잘 자라지 않는다.

(1) 화단 흙에서는 식물이 잘 자라서 운동장 흙에서는 식물이 잘 자라지 않는다. ( )
(2) 화단 흙에서는 식물이 잘 자라지만 운동장 흙에서는 식물이 잘 자라지 않는다. ( )

[6~7] 다음 글을 읽고, 물음에 답하세요.

실험 목표	막대자석에서 힘의 세기가 가장 큰 부분을 찾을 수 있다.
실험 준비물	막대자석, 클립, 끈, 플라스틱 통
실험 과정	❶ 플라스틱 통에 클립을 골고루 부어 놓는다. ❷ 막대자석의 양 끝에 끈을 매고, 끈을 들어 올리며 막대자석을 집는다. ❸ 막대자석을 클립이 놓여 있는 통에 두었다가 천천히 들어 올리며 막대자석에 클립이 붙어 있는 모습을 관찰해 본다.
실험 결과	막대자석의 오른쪽 끝부분과 왼쪽 끝부분에 클립이 많이 붙었다.

6 이 글에서 다음과 같은 방법으로 써야 할 부분을 골라 ○표를 하세요.

> 실험 과정이 끝났을 때의 상황을 사실대로 쓴다.

(실험 목표 , 실험 과정 , 실험 결과)

7 실험 결과에 넣을 사진으로 알맞은 것에 ○표를 하세요.

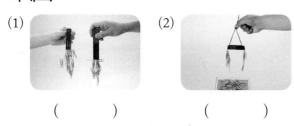

(1) (　　　) 　　(2) (　　　)

8 밤톨이가 실험 결과를 통해 알게 된 사실을 쓰려고 해요. 알맞은 말을 보기 에서 골라 문장을 완성하고, 따라 쓰세요.

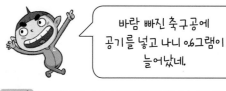

> 바람 빠진 축구공에 공기를 넣고 나니 0.6그램이 늘어났네.

보기
| 냄새 | 무게 | 형태 |

공	기	도	✓			가	✓
있	다	.					

9 다음 문장에서 밑줄 그은 낱말을 바르게 고치고, 문장을 따라 쓰세요.

> 두 막대자석의 극이 서로 <u>틀려야</u> 붙는다.

↓

두	✓	막	대	자	석	의	✓
극	이	✓	서	로	✓		
	✓	붙	는	다	.		

10 지층 모형 만들기 실험을 한 내용으로 실험 보고서를 알맞게 쓴 친구의 이름을 쓰세요.

> 은경: 실험을 했던 날짜와 장소, 준비물이 잘 기억나지 않아서 대충 꾸며 썼어.
>
> 정열: 지층을 만들어 본 실험 과정과 결과, 알게 된 사실 등을 이해하기 쉽게 썼어.

(　　　　　　　)

똑똑한 하루 글쓰기 한권 끝!

글쓰기 공부 하느라 수고했어요.
교재를 꾸준히 잘 풀었는지 돌아보고 ◯표를 하세요.

약속한 사람

첫째, 하루하루 빠짐없이 꾸준히 공부했나요?　　　　　　　예　　아니요

둘째, 하루 글쓰기 문제를 끝까지 다 풀었나요?　　　　　　예　　아니요

셋째, 또박또박 바르게 글씨를 썼나요?　　　　　　　　　　예　　아니요

아쉽고 부족한 부분을 스스로 돌아보고,
다음 단계를 공부할 때에는 더 열심히 해 봐요!

그럼, 다음 책으로 고고!

매일 조금씩 **공부력** UP

똑똑한 하루
독해&어휘

쉽다!

10분이면 하루치 공부를 마칠 수 있는
커리큘럼으로, 아이들이 쉽고 재미있게
독해&어휘에 접근할 수 있도록 구성

재미있다!

교과서는 물론 생활 속에서 쉽게
접할 수 있는 다양한 소재를 활용해
흥미로운 학습 유도

똑똑하다!

초등학생에게 꼭 필요한 상식과 함께
창의적 사고력 확장을 돕는
게임 형식의 구성으로 독해력 & 어휘력 학습

공부의 핵심은 독해!
예비초~초6 / 총 6단계, 12권

독해의 시작은 어휘!
예비초~초6 / 총 6단계, 6권

똑똑한 하루 시/리/즈

⚙ 쉽다!

10분이면 하루치 공부를 마칠 수 있는 커리큘럼으로,
아이들이 초등 학습에 쉽고 재미있게 접근할 수 있도록 구성하였습니다.

🧩 재미있다!

교과서는 물론 생활 속에서 쉽게 접할 수 있는 다양한 소재와
재미있는 게임 형식의 문제로 흥미로운 학습이 가능합니다.

📖 똑똑하다!

초등학생에게 꼭 필요한 학습 지식 습득은 물론
창의력 확장까지 가능한 교재로 올바른 공부 습관을 가지는 데 도움을 줍니다.

기초
학습능력 강화
프로그램

똑똑한
하루
글쓰기

5단계
A
4~5학년

정답 및
해설

천재교육

정답 및 해설
포인트 ❸가지

▶ 혼자서도 이해할 수 있는 친절한 문제 풀이

▶ 문제 해결에 도움을 주는 '더 알아보기'와
  틀린 부분을 짚어 주는 '왜 틀렸을까?'

▶ 예시 답안과 단계별 채점 기준 제시로
  실전 서술형 문항 완벽 대비

똑 똑 한

하루
글쓰기

5단계
A
4~5학년

정답 및 해설

10~11쪽 | 1주에는 무엇을 공부할까? ❷

1-1 (2) ○　　　　1-2 생각이나 느낌
2-1 새롭게 알게 된 점　　2-2 (1) ○

1-1 '표지에 있는 그림이 예뻐서 책을 읽게 되었어.'는 책을 읽은 동기에 대해 말한 것입니다.

1-2 『날씨는 변덕쟁이야』를 읽고 나서 생각이나 느낌을 쓴 것입니다.

2-1 '이 책을 읽고 ~ 새롭게 알게 되었다.'라는 말을 통해 새롭게 알게 된 점을 중심으로 책 내용을 정리한 것임을 알 수 있습니다.

2-2 옹기에 대해 설명하는 책을 읽고 인상 깊었던 점을 중심으로 책 내용을 정리한 것입니다.

13쪽 | 똑똑한 하루 글쓰기 미리 보기

 – 동기 ,　– 왜 ,　– 느낌

14~15쪽 | 똑똑한 하루 글쓰기

1 심심해서 학교 도서관 에서 책을 고르다가 『날씨는 변덕쟁이야』라는 책을 읽었다.
2 날씨를 '변덕쟁이'라고 한 것이 재미있어서 관심이 갔기 때문이다.
3

심	심	해	서	∨	학	교	∨	도	서	관	에	서	∨
책	을	∨	고	르	다	가	∨	『	날	씨	는	∨	변
덕	쟁	이	야	』	라	는	∨	책	을	∨	읽	었	다 .
'날	씨	를	∨	'변	덕	쟁	이	'	라	고	∨	한	
것	이	∨	재	미	있	어	서	∨	관	심	이	∨	갔
기	∨	때	문	이	다 .								

1 수혁이는 심심해서 학교 도서관에 가서 책을 골라 읽었습니다.

2 수혁이가 『날씨는 변덕쟁이야』라는 책을 처음 보았을 때의 생각이나 느낌에 맞게 보기 에서 알맞은 말을 골라 문장을 완성해 봅니다.

3 1과 2에서 쓴 문장을 넣어 책을 읽은 동기를 써 봅니다.

채점 기준

　『날씨는 변덕쟁이야』라는 책을 읽은 동기를 맞춤법이나 띄어쓰기에 맞게 잘 썼으면 정답입니다.

16쪽 | 똑똑한 하루 글쓰기 고쳐쓰기

1 (1) 변덕쟁이　　　(2) 옹기장이
2

얼	마	∨	전	에	∨	지	진	에	∨	대	한	∨
뉴	스	를	∨	본	∨	후	에	∨	자	연	재	해 에
대	해	∨	관	심	이	∨	생	겨	서	∨	그	∨ 부
분	을	∨	유	심	히	∨	읽	었	다 .			

1 (1) 날씨를 사람에 빗대어 표현했으므로 '어떤 특성이 있는 사람'이라는 뜻을 더하는 '–쟁이'를 붙여서 '변덕쟁이'라고 고쳐 써야 합니다.
　(2) 옹기를 만드는 사람은 어떤 기술이 있는 사람이므로 '옹기장이'라고 고쳐 써야 합니다.

{ 더 알아보기 }

'–쟁이'와 '–장이'가 들어 있는 낱말 더 알아보기 예
　• –쟁이: 겁쟁이, 무식쟁이, 요술쟁이, 말썽쟁이, 심술쟁이, 엄살쟁이, 허풍쟁이, 트집쟁이
　• –장이: 간판장이, 구두장이, 기와장이, 짚신장이, 토기장이, 솥땜장이

2 '유심이'를 '유심히'로 고쳐 써야 합니다.

17쪽 | 똑똑한 하루 글쓰기 마무리

선	생	님	께	서	∨	숙	제	로	∨	내	∨	주
신	∨	자	랑	스	러	운	∨	우	리	∨	문	화 재 ∨
조	사	를	∨	하	기	∨	위	해	서	∨	도	서 관
에	∨	가	서	∨	『	놀	라	운	∨	과	학	∨ 문
화	재	』	라	는	∨	책	을	∨	찾	아	∨	읽 게 ∨
되	었	다 .										

○ 보기 의 말을 이용하여 책을 읽은 동기를 완성해 봅니다.

구분	답안 내용	
평가 기준	문장의 흐름에 맞게 보기 의 말을 이용하여 책을 읽은 동기를 잘 썼습니다.	상
	책을 읽은 동기를 썼지만 맞춤법이나 띄어쓰기에서 틀린 부분이 있습니다.	중
	빈칸에 알맞은 말을 다 쓰지 못하였습니다.	하

2일

19쪽 하루 글쓰기 미리 보기

새롭게

20~21쪽 하루 글쓰기

1 이 책은 여러 가지 국제기구들에 대해 소개하고 있다.

2 텔레비전 광고를 통해 이미 알고 있던 '유니세프' 외에 국제 노동 기구', '국경 없는 의사회', '그린피스' 등 다양한 국제기구들이 있다는 것을 새롭게 알게 되었다.

3 이 책은 ❶ 예 여러 가지 국제기구들에 대해 소개하고 있다. / 지구촌 곳곳에는 여러 가지 환경 문제, 전쟁과 가난 등 해결해야 할 문제들이 많이 있다. 지구촌의 여러 가지 문제 해결과 발전을 위해 국제기구들이 다양한 활동을 벌이고 있는데 ❷ 예 텔레비전 광고를 통해 이미 알고 있던 '유니세프' 외에 '국제 노동 기구', '국경 없는 의사회', '그린피스' 등 다양한 국제기구들이 있다는 것을 새롭게 알게 되었다.
  특히, 요즘 환경 문제에 관심이 많았던 나는 '그린피스'의 활동을 집중해서 읽었다. 전 세계에 많은 회원을 두고 세계적인 환경 운동을 이끌고 있다는 점이 정말 대단하게 느껴졌다.

1 『지구를 돌보는 국제기구』는 유니세프, 국제 노동 기구, 국경 없는 의사회, 그린피스 등 다양한 국제기구들에 대해 소개하고 있습니다.

2 『지구를 돌보는 국제기구』의 책 내용을 보기 의 말을 이용하여 정리해 봅니다.

3 1과 2에서 쓴 내용을 넣어 책 내용을 정리해 봅니다.

  새롭게 알게 된 점을 중심으로 『지구를 돌보는 국제기구』의 책 내용을 잘 정리했으면 정답입니다.

22쪽 하루 글쓰기 고쳐쓰기

1 손 길

2

환	경	V	문	제	뿐	만	V	아	니	라	V	전
쟁	과	V	가	난	V	등	V	여	러	V	가	지	V
문	제	점	들	이	V	있	어	요	.			

1 '손낄'은 '도와주거나 해치는 일을 비유적으로 이르는 말.'이라는 뜻의 '손길'로 고쳐 써야 합니다.

2 '~뿐만 아니라' 앞에 사람이나 사물의 이름을 나타내는 낱말이 오면 붙여 씁니다.

(왜 틀렸을까?)
  '~뿐만 아니라'는 낱말 가운데에서 '-ㄹ/-을'로 끝나는 말 뒤에서는 띄어 씁니다.
  예 이 사과는 작을 뿐만 아니라 맛도 없다.

23쪽 하루 글쓰기 마무리

예

작	년		여	름	에		놀	러		갔	던
대	구	가		대	표	적	인		분	지	도	시
라	는		것	도		이		책	을		통	해
새	롭	게		알	게		되	었	다	.	

예

대	구	는		주	변	이		산	으	로		둘
러	싸	인		대	표	적	인		분	지	도	시
로	,		여	름	과		겨	울	의		기	온	차
이	가		크	다	는		것	을		이		책	을
통	해		새	롭	게		알	게		되	었	다	.

○ 보기 에서 알맞은 내용을 골라 새롭게 알게 된 점을 중심으로 책 내용을 정리해서 써 봅니다.

채점 기준

구분	답안 내용	
평가 기준	보기 에서 알맞은 내용을 골라 새롭게 알게 된 점을 중심으로 책 내용을 잘 정리했습니다.	상
	책 내용을 정리해서 썼으나 맞춤법이나 띄어쓰기에서 틀린 부분이 있습니다.	중
	『울퉁불퉁 지형』과 관련 없는 내용을 썼습니다.	하

3일

25쪽 · 똑똑한 하루 글쓰기 | 미리 보기

❶ 설 명
❷ 인 상
❸ 까 닭

인	상	기	까
자	리	차	닭
추	설	명	발
황	새	집	린

26~27쪽 · 똑똑한 하루 글쓰기

1 한지에 대한 설명 중 가장 인상 깊었던 것은 한지의 우수성 에 대한 부분이었다.
2 한지의 우수성을 증명해 주는 종이 유물로는 '무구 정광 대다라니경'이 있다.
3 이 책은 우리나라 고유의 종이인 한지의 우수성과 쓰임에 대해 설명하고 있다.

　❶ 예 한지에 대한 설명 중 가장 인상 깊었던 것은 한지의 우수성에 대한 부분이었다.
　닥나무 껍질로 만든 한지는 질기고 부드럽다고 하였다. 그리고 천 년 이상 보존할 수 있을 정도로 오래간다고 하였다. ❷ 예 한지의 우수성을 증명해 주는 종이 유물로는 '무구 정광 대다라니경'이 있다. 얼마 전에 박물관에 가서 '무구 정광 대다라니경'을 본 것이 떠올라 더욱 반가웠다.

1 한지의 우수성에 대해 설명해 주는 부분이 인상 깊었다고 하였다.

2 보기 의 말을 이용하여 책 내용을 정리해 봅니다.

3 1과 2에서 쓴 내용을 넣어 책 내용을 정리해 봅니다.

채점 기준

인상 깊었던 점을 중심으로 『조상들의 지혜, 한지』의 책 내용을 잘 정리했으면 정답입니다.

28쪽 · 똑똑한 하루 글쓰기 | 고쳐쓰기

1 예 한지를 여러 겹 풀칠로 겹쳐 반짇고리나 필통 등의 생활용품도 만들었어요.
　예 한지를 여러 겹 풀칠로 포개어 반짇고리나 필통 등의 생활용품도 만들었어요.

2
한	지	는	∨	다	듬	잇	방	망	이	∨	같	은	∨
걸	로	∨	두	드	려	서	∨	만	들	기	∨	때	문
에	∨	만	지	면	∨	부	드	러	운	∨	느	낌	이	∨
들	어	요	.										

1 '대어 놓은 것 위에 겹쳐 대어.'라는 뜻의 '덧대어'는 '겹쳐, 포개어'와 뜻이 비슷해서 바꿔 쓸 수 있습니다.

2 '다듬이방망이'를 '다듬잇방망이'로 고쳐 써야 합니다.

29쪽 · 똑똑한 하루 글쓰기 | 마무리

　『조상들의 지혜, 한지』에서 한지의 쓰임에 대해 설명한 부분을 재미있게 읽었다.
　옛날에 조상들은 한지가 ❶ 예 바람과 추위를 잘 막아 주어 방을 따뜻하게 해 주기 때문에 방문이나 창문에 발랐다.
　특히 한지가 ❷ 예 햇빛이 은은하게 스며들게 하고, 방 안의 습도도 조절해 주는 역할을 한다고 한 부분이 가장 인상 깊었다. 예전에 한옥 마을에 갔을 때 창문과 방문에 종이를 바른 것이 신기하다고 생각한 적이 있었는데 이제 이해가 되었기 때문이다.

○ 대화를 보고, 인상 깊었던 점을 중심으로 책 내용을 정리해 봅니다.

채점 기준

구분	답안 내용	
평가 기준	❶과 ❷에 알맞은 내용을 모두 넣어 책 내용을 알맞게 정리했습니다.	상
	❶과 ❷에 알맞은 내용을 모두 썼지만 맞춤법이나 띄어쓰기에서 틀린 부분이 있습니다.	중
	❶과 ❷ 중 한 가지 내용만 맞게 썼습니다.	하

4일

31쪽 똑똑한 **하루 글쓰기** 미리 보기

 - 생각, - 변화, - 다짐

32~33쪽 똑똑한 **하루 글쓰기**

1 한지가 바람과 추위를 잘 막아 주고 방 안의 습도도 조절해 준다는 점에서 창문과 방문에 한지를 바른 것이 과학적이라는 생각이 들었다.

2 한지의 기능이 좋아서 놀라웠고, 빨리 한지박물관에 가서 한지에 대해 더 알아보고 싶다는 생각이 들었다.

3 한지가 바람과 추위를 잘 막아 주고 ❶ 예 방 안의 습도도 조절해 준다는 점에서 창문과 방문에 한지를 바른 것이 과학적이라는 생각이 들었다. ❷ 예 한지의 기능이 좋아서 놀라웠고, 빨리 한지박물관에 가서 한지에 대해 더 알아보고 싶다는 생각이 들었다.

1 친구는 창문과 방문에 한지를 바른 것이 과학적이라고 하였습니다.

2 보기 의 말을 이용하여 문장을 완성해 봅니다.

3 1과 2에서 쓴 내용을 넣어 정리해 봅니다.

채점 기준

독서 감상문에 들어갈 생각이나 느낌을 맞춤법이나 띄어쓰기에 맞게 잘 썼으면 정답입니다.

34쪽 똑똑한 **하루 글쓰기** 고쳐쓰기

1 이 책은 우리나라 특유 의 종이인 한지의 쓰임에 대해 설명하였다.

2

천	V	년	V	이	상	V	보	존	할	V	수	V
있	을	V	정	도	로	V	오	래	가	는	V	한 지
로	V	다	양	한	V	생	활	용	품	도	V	만 들
었	다	.										

1 '한 사물이나 집단 등이 본래부터 지니고 있는 특별한 것.'이라는 뜻의 '고유'는 '특유'와 뜻이 비슷해 바꾸어 써도 문장의 뜻이 변하지 않습니다.

2 해를 세는 단위인 '년'은 수를 나타내는 한자어 뒤에서 띄어 쓰고, '이상'은 앞말과 띄어 써야 하므로, '천 년 이상'으로 띄어 써야 합니다.

┌ 더 알아보기 ┐

'낱으로 된 물건을 세는 단위.'를 뜻하는 '개', '말이나 소를 세는 단위.'를 뜻하는 '필', '꼭지에 달린 꽃이나 열매 따위를 세는 단위.'를 뜻하는 '송이' 등도 수를 나타내는 말 뒤에서 띄어 써야 합니다.

35쪽 똑똑한 **하루 글쓰기** 마무리

예

작 은		곤 충 이		영 양 가 가		좋
고		미 래 에		식 량 으 로		쓰 인 다
고		하 니		신 기 하 고 ,		기 회 가
되 면		나 도		먹 어		보 고	싶 다 .

예

곤 충 으 로		다 양 한		음 식 을	
만 들		수	있 다 니		놀 랍 고 ,	우
리		학 교	급 식 으 로		가 끔 씩	
나 오 면		좋 겠 다 는		생 각 이		들
었 다 .					

○ 『미래 식량, 곤충』을 읽고 생각이나 느낌을 보기 에서 골라 독서 감상문을 완성해 봅니다.

구분	답안 내용	
평가 기준	보기 중 한 가지를 골라 알맞게 잘 썼습니다.	상
	보기 중 한 가지를 골라 썼지만 맞춤법과 띄어쓰기에서 틀린 부분이 있습니다.	중
	『미래 식량, 곤충』과 관련이 없는 생각이나 느낌을 썼습니다.	하

5일

37쪽　　　똑똑한 **하루 글쓰기** 미리 보기

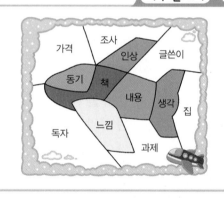

38~39쪽　　　똑똑한 **하루 글쓰기**

1 친구가 편지로 재미있게 읽었다며 소개해 주어서 나도 궁금해서 읽게 되었다.

2 ① 책은 수라상과 화려한 궁중 음식에 대해 소개하고 있다.

② 대표적인 궁중 음식 중 신선로는 전골 요리이고, 탕평채는 청포묵을 가늘게 썰어 다른 재료와 함께 버무려 먹는 음식이다.

3 예 다양한 궁중 음식을 사진으로 볼 수 있어서 좋았고, 나중에 부모님과 함께 만들어서 먹어 보고 싶다는 생각이 들었다. / 예 보기에도 좋고 영양가도 많은 우리의 소중한 전통 음식을 잘 보존하고 전승하면 좋겠다는 생각이 들었다.

1 친구가 편지로 책을 소개해 주었다고 했습니다.

2 보기의 말을 이용하여 정리해 봅니다.

3 보기에서 한 가지를 골라 써 봅니다.

보기의 내용 중 한 가지를 골라 맞춤법이나 띄어쓰기에 맞게 잘 썼으면 정답입니다.

40쪽　　　똑똑한 **하루 글쓰기** 고쳐쓰기

1 찌개

2

탕	평	채	는	V	청	포	묵	을	V	가	늘	게	V
썰	어	서	V	볶	은	V	고	기	,		미	나	리	,
김	과	V	함	께	V	버	무	린	V	묵	V	요	리
인	데	V	맛	도	V	좋	아	V	보	이	고	V	빛
깔	도	V	아	름	다	웠	어	.					

1 '찌게'를 '찌개'로 고쳐 써야 합니다.

2 '써러서'는 '썰어서'로, '뽁은'은 '볶은'으로, '빗깔'은 '빛깔'로 고쳐 써야 합니다.

41쪽　　　똑똑한 **하루 글쓰기** 마무리

예

책 제목	지구를 돌보는 국제기구
책을 읽은 동기	텔레비전을 보다가 국제기구에 대해 더 알아보고 싶어서 찾아서 읽게 되었다.
책 내용	지구촌의 여러 가지 문제 해결과 발전을 위해 국제기구들이 다양한 활동을 벌이고 있는데 텔레비전 광고를 통해 이미 알고 있던 '유니세프' 외에 '국제 노동 기구', '국경 없는 의사회', '그린피스' 등 다양한 국제기구들이 있다는 것을 새롭게 알게 되었다. 특히, 요즘 환경 문제에 관심이 많았던 나는 '그린피스'의 활동을 집중해서 읽었다. 전 세계에 많은 회원을 두고 세계적인 환경 운동을 이끌고 있다는 점이 정말 대단하게 느껴졌다.
생각이나 느낌	지구의 환경을 위해서 내가 지금부터 할 수 있는 일들을 찾아서 실천해야겠다.

◉ 읽으면서 여러 가지 생각을 한 책을 한 권 골라 독서 감상문을 써 봅니다.

채점 기준

구분	답안 내용	
평가 기준	책 제목, 책을 읽은 동기, 책 내용, 생각이나 느낌을 넣어 독서 감상문을 알맞게 썼습니다.	상
	독서 감상문을 썼으나 맞춤법이나 띄어쓰기가 틀린 부분이 있습니다.	중
	책 내용이나 생각이나 느낌을 간단하게 썼습니다.	하

특강 똑똑한 **하루** 창의·융합·코딩

43쪽

"떡 줄 사람은 꿈도 안 꾸는데 김 칫 국 부터 마 신 다"더니 동생은 내 옷을 마음대로 가지려고 했다.

44쪽

◐ '기후'는 '일정한 지역에서 여러 해에 걸쳐 나타나는 평균적인 날씨.'라는 뜻이고, '수라상'은 '궁중에서, 임금에게 올리는 밥상을 높여 이르던 말.'이라는 뜻입니다.

(왜 틀렸을까?)
• '태풍, 가뭄, 홍수, 지진, 화산 폭발, 해일 따위의 피할 수 없는 자연 현상으로 인하여 일어나는 재해.'라는 뜻의 낱말은 '자연재해'입니다.
• '음식을 갖추어 차린 상.'을 뜻하는 낱말은 '밥상'입니다.

45쪽

우리 조상들은 더운 여름을 나기 위해서 죽 부 인, 부채, 등 등 거 리 등을 사용했고, 추운 겨울을 나기 위해서 솜을 넣은 버선, 설피, 풍 차 등을 사용했어요.

◐ 친구들의 말을 잘 살펴보고, 물건들을 찾아봅니다.

46쪽

◐ 코딩 명령에 따라 이동하면 다음과 같습니다.

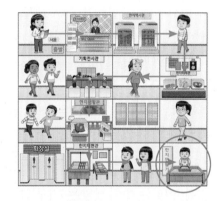

47쪽

◐ 다섯 개의 숨은 그림을 찾아봅니다.

평가 ──── **누구나 100점** 테스트

48~49쪽

1 책 내용 　　　　　 2 (2) ○

3 변덕쟁이 　　　　　 4 ①

5 (2) ○

6

'	국	경	∨	없	는	∨	의
사	회	'	,	'	그	린	피
스	'	∨	등	∨	다	양	한	∨
국	제	기	구	들	이	∨	있
다	는	∨	것	을	∨	알	게	∨
되	었	다	.

7 한지의 우수성 　　8 서윤

9 지수　　　　　　　10 (1) ○

1 독서 감상문에는 책을 읽은 동기, 책 내용, 생각이나 느낌이 들어갑니다.

2 제시된 글은 책을 왜 읽게 되었는지 쓴 것입니다.

3 '이랬다저랬다 하는, 변하기 쉬운 태도나 성질이 있는 사람을 낮잡아 이르는 말.'이라는 뜻의 '변덕쟁이'로 고쳐 써야 합니다.

　〔 왜 틀렸을까? 〕
　'–장이'는 '어떤 기술이 있는 사람'이라는 뜻을 더하는 말입니다. 예 구두장이, 대장장이, 토기장이

4 '많은 사람이 모여 공공의 목적을 위해 구성한 조직이나 기관.'이라는 뜻의 낱말은 '기구'입니다.

　〔 왜 틀렸을까? 〕
　• ⓒ **도움**: 남을 돕는 일.
　• ⓒ **각종**: 온갖 종류. 또는 여러 종류.
　• ② **반대**: 어떤 행동이나 견해, 제안 따위에 따르지 아니하고 맞서 거스름.
　• ⑩ **보호**: 잘 지켜 원래대로 보존되게 함.

5 제시된 글은 여러 가지 국제기구들에 대해 소개하고 있습니다.

6 빈칸에 알맞은 말을 넣어 새롭게 알게 된 점을 중심으로 책 내용을 정리해 봅니다.

7 ⊙ 다음의 내용을 통해 한지의 우수성에 대해 말하고 있는 것을 알 수 있습니다.

8 제시된 글은 『조상들의 지혜, 한지』를 읽고 인상 깊었던 점을 중심으로 책 내용을 정리한 것입니다.

9 지수는 『조상들의 지혜, 한지』를 읽고 생각하거나 느낀 점을 썼습니다.

　〔 왜 틀렸을까? 〕
　수혁이는 『조상들의 지혜, 한지』를 왜 읽게 되었는지, 책을 읽은 동기를 썼습니다.

10 독서 감상문을 쓸 때에는 먼저 책을 고르고, 책을 읽은 동기를 씁니다. 그런 다음 책 내용을 정리하고 생각이나 느낌을 씁니다.

　〔 더 알아보기 〕
　독서 감상문을 쓰면 좋은 점
　• 감명 깊게 읽은 부분이나 인상 깊은 장면을 기억할 수 있습니다.
　• 읽은 책의 내용을 다시 한번 생각할 수 있습니다.
　• 책을 읽은 동기와 책 내용, 읽고 난 뒤의 생각이나 느낌 따위를 정리할 수 있습니다.
　• 책을 읽고 느낀 재미나 감동을 다른 사람과 함께 나눌 수 있습니다.

한 주 동안
수고했어요~!

52~53쪽 2주에는 무엇을 공부할까? ❷

1-1 (3) ○	1-2 학 급
2-1 (1) ○	2-2 무 엇 을

1-1~1-2 학급 신문은 반에서 있었던 일이나 소식 따위를 담아 학급에서 만든 신문입니다. 반에서 있었던 일들을 떠올려 그중 가장 알리고 싶은 일을 골라 기사로 써야 합니다.

2-1~2-2 학급 신문 기사는 '언제, 어디에서, 누가, 무엇을, 어떻게, 왜'의 내용이 잘 드러나게 씁니다. 이때 거짓이나 상상한 일이 아닌 사실을 써야 합니다.

〔 더 알아보기 〕
기사는 읽는 사람에게 정보를 전달하는 것이 목적이므로 중요한 내용을 정확하게 담아야 합니다.

1일

55쪽 똑똑한 하루 글쓰기 미리 보기

❶ 학 급
❷ 알 리 고
❸ 까 닭

56~57쪽 똑똑한 하루 글쓰기

1 이번 달 21일에 반 친구들과 교내 합창 대 회 에 나가 봄을 주제로 한 노래를 불러 우 승 한 일입니다.
2 반 친구들 모두가 매 일 연 습 을 하며 열 정 적 으로 참 여 한 활동이었기 때문입니다.
3 ❶ 예 이번 달 21일에 반 친구들과 교내 합창 대회에 나가 봄을 주제로 한 노래를 불러 우승한 일을 기사로 쓸 거야. 왜냐하면 ❷ 예 반 친구들 모두가 매일 연습을 하며 열정적으로 참여한 활동이었기 때문이야.

1 서진이가 기사 내용에 쓰기로 한 일은 반 친구들과 교내 합창 대회에 나가 우승한 일입니다.

2 서진이가 1에서의 일을 기사로 쓰려는 까닭은 반 친구들 모두가 매일 연습을 하며 열정적으로 참여한 활동이었기 때문입니다.

3 1과 2에서 쓴 문장을 넣어 서진이가 기사 내용으로 정한 일과 그 일을 기사 내용으로 정한 까닭을 써 봅니다.

채점 기준
서진이가 기사 내용으로 정한 일과 그 일을 기사 내용으로 정한 까닭을 띄어쓰기와 맞춤법에 맞게 잘 썼으면 정답입니다.

58쪽 똑똑한 하루 글쓰기 고쳐쓰기

1 예 교내 합창 대회에 참 가 해 봄을 주제로 한 노래를 불러 우승을 했어.
　예 교내 합창 대회에 출 전 해 봄을 주제로 한 노래를 불러 우승을 했어.

2

건	강	을	∨	위	해	∨	여	러	∨	가	지	∨
반	찬	을	∨	골	고	루	∨	먹	어	야	∨	한 다 .

1 '참가해'와 '출전해' 모두 밑줄 그은 '나가'와 바꾸어 쓸 수 있는 뜻이 비슷한 낱말입니다.

2 '가지'는 앞말과 띄어 써야 하는 말입니다.

59쪽 똑똑한 하루 글쓰기 마무리

예 지난주 수요일에 ❶ 학교 화단에서 선생님과 친구들이 함께 우리 반 텃밭을 가꾼 일을 기사로 써야겠어. ❷ 우리 반 모두가 힘을 모아 우리 반만의 소중한 공간을 만들어 본 경험이었기 때문이야.

예 지난주 수요일에 ❶ 학교 뒤뜰에서 우리 반이 상추, 토마토와 같은 여러 작물들을 심은 일을 기사로 써야겠어. ❷ 직접 땅을 파고 물을 주며 작물을 가꿔 본 것은 모두가 처음 해 본 경험이었기 때문이야.

◉ ❶~❷에 각각 들어갈 말을 보기 에서 두 가지 골라

성훈이가 기사 내용으로 정한 일과 그 일을 기사 내용으로 정한 까닭을 써 봅니다.

구분	답안 내용	
평가 기준	기사 내용으로 정한 일과 그 일을 기사 내용으로 정한 까닭을 모두 알맞게 써넣었습니다.	상
	기사 내용으로 정한 일과 그 일을 기사 내용으로 정한 까닭을 각각 써넣었으나 맞춤법이나 띄어쓰기에 맞지 않는 부분이 있습니다.	중
	❶과 ❷ 중 한 곳에만 답을 써넣었습니다.	하

2일

61쪽 똑똑한 **하루 글쓰기** 미리 보기

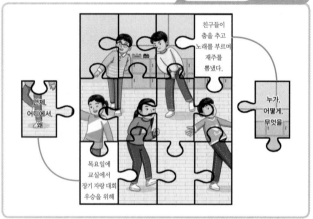

62~63쪽 똑똑한 **하루 글쓰기**

1 12월 17일 학교 강당에서 열린 학예회 에서 우리 반 친구들이 「팥죽 할멈과 호랑이」 연극을 성공 적으로 마쳤다.

2 이날 연극은 친구들과의 소중한 추억을 남기기 위하여 우리 반 친구들이 대본부터 의상까지 직접 만들며 준비한 것이다.

3 12월 17일 학교 강당에서 열린 ❶ 예 학예회에서 우리 반 친구들이 「팥죽 할멈과 호랑이」 연극을 성공적으로 마쳤다. / 이날 연극은 ❷ 예 친구들과의 소중한 추억을 남기기 위하여 우리 반 친구들이 대본부터 의상까지 직접 만들며 준비한 것이다.

친구들은 "연극 준비는 힘들었지만, 오늘 공연이 잘 끝나고 나니 너무 기쁘다."며 입을 모았다. 학예회가 마무리된 뒤에도 우리 반 친구들은 연극에 대한 대화를 한참 동안 이어 갔다.

1 학급 신문에 들어갈 기념사진에서 친구들이 학예회 연극을 성공적으로 마쳤음을 알 수 있습니다.

2 친구들은 소중한 추억을 남기기 위하여 대본부터 의상까지 직접 만들며 연극을 준비하였습니다.

3 **1**과 **2**에서 쓴 문장을 넣어 학급 신문 기사에 들어갈 기사 내용을 써 봅니다.

우리 반 친구들에게 있었던 일이 잘 드러나도록 썼으면 정답입니다.

64쪽 똑똑한 **하루 글쓰기** 고쳐쓰기

1 12월 17일 학교 강당에서 개 최 된 학예회에서 우리 반 친구들이 「팥죽 할멈과 호랑이」 연극을 성공적으로 끝 냈 다 .

2 많은 ∨ 보석 들 이 ∨ 사 용 된 ∨ 이 ∨ 그 림 은 ∨ 매 우 ∨ 높 은 ∨ 가 격 에 ∨ 팔 렸 다 .

1 '열린'은 '개최된'과 '마쳤다'는 '끝냈다'와 바꾸어 쓸 수 있습니다.

2 보석들이 그림을 그린 사람에 의하여 사용당한 것이므로 '사용된'으로 써야 합니다.

65쪽 똑똑한 **하루 글쓰기** 마무리

예 5월 15일 스승의 날, 교실에서 우리 반 친구들이 선생님께 깜짝 선물을 드렸다. 친구들은 감사함을 표현하기 위해서 선생님께 편지와 종이꽃을 안겨 드리고 다 같이 스승의 날 노래를 불렀다.

담임 선생님께서는 너무 고맙다며 앞으로도 우리 반이 이렇게 화목하길 바란다고 말씀하셨다.

◎ '언제, 어디에서, 누가, 무엇을, 어떻게, 왜'의 내용이 잘 드러나도록 기사의 내용을 써 봅니다.

구분	답안 내용	
평가 기준	표의 내용이 모두 잘 드러나도록 기사의 내용을 썼습니다.	상
	표의 내용이 모두 잘 드러나도록 기사의 내용을 썼으나, 맞춤법이나 띄어쓰기에 맞지 않는 부분이 있습니다.	중
	표의 내용 중 한두 가지를 빠뜨리고 기사의 내용을 썼습니다.	하

채점 기준

(더 알아보기)

신문에 기사를 쓸 때에는 '언제, 어디에서, 누가, 무엇을, 어떻게, 왜'의 내용이 잘 드러나게 쓰는 것이 좋습니다. 이 여섯 가지 내용을 '육하원칙'이라 합니다.

3일

67쪽 **하루 글쓰기 미리 보기**

 – 생 생 한, 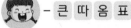 – 느 낌,

– 큰 따 옴 표

68~69쪽 **하루 글쓰기**

1 김은서 친구는 바자회 에 참여한 소감을 묻자 "판매대를 직접 꾸며 친구들에게 물건을 팔아 본 것은 새로운 경험이라 매우 재미 있었습니다."라고 답하며 웃어 보였다.

2 기부에 대해서는 도움이 필요한 사람들에게 도움을 줄 수 있는 일 이므로 정말 좋은 일이라 생각한다고 밝혔다.

3 지난 5일, 나눔의 소중함을 배우는 활동으로 교실에서 우리 1반 친구들의 바자회가 열렸다. 쓰지 않는 물건을 가져와 싼값에 나누고, 수익금은 기부하기로 했다.

이번 바자회에 참여해 많은 물건을 팔았던 김은서 친구는 바자회에 참여한 소감을 묻자 "❶ 예 판매대를 직접 꾸미 친구들에게 물건을 팔아 본 것은 새로운 경험이라 매우 재미있었습니다."라고 답하며 웃어 보였다.

기부에 대해서는 ❷ 예 도움이 필요한 사람들에게 도움을 줄 수 있는 일이므로 정말 좋은 일이라 생각한다고 밝혔다.

1 김은서 친구는 바자회 참여가 매우 재미있었다고 답하였습니다.

2 김은서 친구는 기부가 도움이 필요한 사람들에게 도움을 줄 수 있는 일이므로 정말 좋은 일이라 생각한다고 밝혔습니다.

3 1과 2에서 정리한 인터뷰 내용을 넣어 학급 신문 기사를 완성해 봅니다.

채점 기준

김은서 친구를 인터뷰한 내용을 넣어 기사 내용을 썼으면 정답입니다.

70쪽 **하루 글쓰기 고쳐쓰기**

1 예 판매하고 얻은 수익금 일 체 를 기부하기로 했다.
예 판매하고 얻은 수익금 전 부 를 기부하기로 했다.

2

동	생	은	∨	놀	이	터	에	서	∨	더	∨	놀
고	∨	싶	다	고	∨	말	하	며	∨	아	쉬	운	∨
표	정	을	∨	지	었	다	.					

1 '모두'는 '일체' 또는 '전부'와 바꾸어 쓸 수 있습니다.

2 큰따옴표 없이 다른 사람의 말을 가지고 와서 쓸 때에는 '-고'를 씁니다.

71쪽 **하루 글쓰기 마무리**

지난 6일, 학교에서 '친구와 있었던 일'이라는 주제로 열린 글짓기 대회에서 우리 반 김경수 친구가 대상을 수상했다. 이 대회는 친구를 소중히 여기는 마음을 학생들에게 키워 주기 위한 '친구 사랑 활동'의 하나로, 반 친구들은 김경수 친구가 상을 받자 모두 박수를 치며 축하해 주었다.

김경수 친구는 이번 교내 글짓기 대회에서 대상을 받은 기분을 묻자 "❶ 예 상을 받을 거라 생각하지 못했는데 대상을 받게 되어 정말 기쁩니다."라고 답했다. 김경수 친구는 이번 글짓기 대회에서 ❷ 예 팔을 다쳤을 때 친구들이 도움을 준 일을 썼는데, 그때 ❸ 예 친구들에게 전하고 싶었던 마음을 솔직하게 적은 게 상을 받은 이유 같다고 말했다.

○ 만화를 읽고, 빈칸에 알맞은 인터뷰 내용을 넣어 기사 내용을 완성해 봅니다.

구분	답안 내용	
평가 기준	❶~❸에 알맞은 내용을 넣어 기사의 내용을 완성하였습니다.	상
	❶~❸ 중 두 곳에만 답을 써넣었습니다.	중
	❶~❸ 중 한 곳에만 답을 써넣었습니다.	하

채점 기준

 4일

73쪽 똑똑한 **하루 글쓰기** 미리 보기

❶ 짐 작
❷ 제 목
❸ 소 제 목

74~75쪽 똑똑한 **하루 글쓰기**

1 (1) 지난 6일, 우리 반은 과학 시간에 공부한 행성과 별자리를 직접 관찰하기 위해 천 문 대로 1박 2일 현장 체험학습을 갔다.
   (2) 반 친구들은 망원경으로 행 성과 별자리를 찾아보는 시간을 가졌다.
2 천 문 대로 떠 난 현장 체험학습
3 망원경으로 행성과 별자리 찾아보는 시간 가지다

1 (1) 우리 반은 천문대로 현장 체험학습을 갔습니다.
   (2) 친구들은 망원경으로 행성과 별자리를 찾아보는 시간을 가졌습니다.

2 1의 내용이 잘 드러나도록 기사의 제목을 씁니다.

3 2에서 쓴 기사의 제목에 덧붙일 소제목을 1의 내용이 잘 드러나도록 씁니다.

채점 기준

기사의 내용이 잘 드러나도록 제목과 어울리는 소제목을 썼으면 정답입니다.

76쪽 똑똑한 **하루 글쓰기** 고쳐쓰기

1 천체 망원경을 다 루 는 방법을 익 혔 다 .
2 별이 ∨ 빼 곡 히 ∨ 박 힌 ∨ 밤 하 늘 은 ∨ 바 라 볼 수 록 ∨ 아 름 다 웠 다 .

1 '조작하는'은 '다루는'과 '배웠다'는 '익혔다'와 바꾸어 쓸 수 있습니다.

2 '빼곡' 다음에는 '-하다'가 붙어 '빼곡하다'로 쓰일 수 있으므로 '빼곡히'와 같이 쓰고, '-ㄹ수록'은 앞말과 붙여 써야 합니다.

77쪽 똑똑한 **하루 글쓰기** 마무리

❶ 예 거리의 쓰레기 줍기 봉사 활동을 하다
❷ 예 우리 주변의 쓰레기에 대하여 생각하는 시간 가지다

○ 기사를 읽고, 기사의 내용이 잘 드러나도록 제목과 소제목을 붙여 봅니다.

구분	답안 내용	
평가 기준	기사의 제목과 소제목을 모두 잘 썼습니다.	상
	기사의 제목과 소제목을 모두 썼지만 맞춤법이나 띄어쓰기에 틀린 부분이 있습니다.	중
	기사의 제목과 소제목 중 한 가지만 썼습니다.	하

채점 기준

5일

79쪽 똑똑한 하루 글쓰기 미리 보기

 - 내 용, 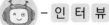 - 인 터 뷰,

 - 제 목

80~81쪽 똑똑한 하루 글쓰기

1 5월 20일, 우리 반 친구들은 수업 시간에 배운 요리를 직접 만들어 보기 위해 모둠별로 실습실에서 주 먹 밥 만들기를 했다. 친구들은 모둠별로 다양한 재료를 넣어 여러 가지 모양의 주먹밥을 완성하였다.

2 주먹밥 완성 후 진행한 투표에서는 하트 모양 주먹밥을 만든 김윤희 친구의 모둠이 일 등을 했다. 김윤희 친구는 "저희 모둠 주먹밥을 친구들이 맛 있 게 먹 어 주 어 서 기 뻤 어요."라고 소감을 밝혔다.

3 예 김윤희 친구 모둠의 하트 모양 주먹밥이 일 등하다

1 친구들은 실습실에서 주먹밥을 만들었습니다.

2 윤희는 자신의 모둠에서 만든 주먹밥을 친구들이 맛있게 먹어 주어서 기뻤다고 하였습니다.

3 1과 2의 내용이 잘 드러나도록 기사의 제목에 어울리는 소제목을 붙여 봅니다.

〔 더 알아보기 〕
소제목은 제목을 보충해 주는 역할을 하므로 소제목에는 제목보다 더 자세한 기사 내용이 들어갑니다.

82쪽 똑똑한 하루 글쓰기 고쳐쓰기

1 이 주먹밥에는 깃발이 꽂 혀 있어.

2
서 로	∨	만 든	∨	주 먹 밥 을	∨	먹 어	∨
보 고	∨	투 표 를	∨	해 서	∨	일	∨	등 을	∨
한	∨	모 둠 에 게	∨	선 물 을	∨	줄 게 요	.

1 '꽂혀'는 '꽂혀'를 잘못 쓴 말입니다.

2 '등'과 같이 단위를 나타내는 말은 띄어 써야 하고, '줄께요'는 '줄게요'의 틀린 표현입니다.

〔 더 알아보기 〕
'등'은 등급이나 등수를 나타내는 단위입니다.

83쪽 똑똑한 하루 글쓰기 마무리

예
장미 공원으로 나선 소풍
활짝 핀 장미 구경과 쉼터에서 먹은 맛난 도시락

지난 5월 20일, 우리 반은 봄을 맞아 장미 공원으로 도시락을 싸 들고 소풍을 갔다. 친구들은 선생님을 따라 걸어가며 공원의 봄기운을 물씬 느꼈다.
장미 철을 맞아 장미 공원에는 빨갛고, 노란 장미가 활짝 피어 있었다. 친구들은 흩어져서 장미의 향기를 맡아 보기도 하고 장미와 함께 사진을 찍기도 하였다.
점심시간에는 모두 장미로 꾸며진 쉼터에 옹기종기 모여 싸 온 도시락을 먹었다. 김주아 친구는 "도시락을 먹는 내내 장미향이 나서 도시락이 더 맛있게 느껴졌다."라고 소감을 밝혔다.

김원희 기자

○ 학급 신문 기사를 쓰는 방법을 생각해 보며 학급에서 있었던 일을 떠올려 기사를 한 편 써 봅니다.

채점 기준
구분	답안 내용	
평가 기준	기사의 제목과 소제목, 기사의 내용을 학급에서 있었던 일로 잘 썼습니다.	상
	기사의 제목과 소제목, 기사의 내용을 학급에서 있었던 일로 썼지만 맞춤법이나 띄어쓰기에 맞지 않는 부분이 있습니다.	중
	기사의 제목과 소제목, 기사의 내용 중 빠뜨린 것이 있거나 학급에서 있었던 일이 아닌 일로 기사를 썼습니다.	하

85쪽

친구는 어제 싸우고 화가 안 풀렸는지 내 부름에도 "소 닭 보 듯"하고 지나갔다.

86쪽

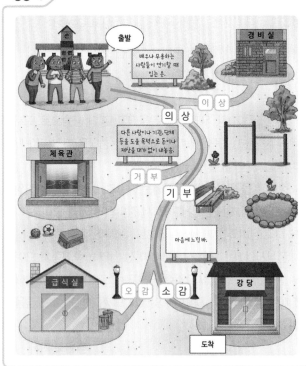

○ '배우나 무용하는 사람들이 연기할 때 입는 옷.'이라는 뜻의 낱말은 '의상'이고, '다른 사람이나 기관, 단체 등을 도울 목적으로 돈이나 재산을 대가 없이 내놓음.'이라는 뜻의 낱말은 '기부'입니다. '마음에 느낀 바.'라는 뜻의 낱말은 '소감'입니다.

(왜 틀렸을까?)

• **이상**: 정상적인 상태와 다름.

　㉔ 몸에 이상이 생겨 병원에 갔다.

• **거부**: 요구나 제안 등을 받아들이지 않음.

　㉔ 그는 내 제안을 거부했다.

• **오감**: 시각, 청각, 후각, 미각, 촉각의 다섯 가지 감각.

　㉔ 오감을 사용해서 세상을 온전히 느껴 보아라.

87쪽

○ 바자회에 가져갈 물건을 그림에서 찾아봅니다.

88쪽

🐰 금성은 태양과 (1) (첫 ,(두)) 번째로 가까이 위치한 행성으로 금성 다음이 바로 지구이다. 새벽에 보이는 금성은 (2) ((샛별), 개밥바라기)(이)라고 불리고, 저녁에 보이는 금성은 (3) (샛별 ,(개밥바라기))(이)라고 불린다.

○ 만화를 잘 읽고, 금성에 대한 설명을 알맞게 완성해 봅니다.

89쪽

○ 주먹밥을 만드는 데 필요한 재료를 모두 지나 주먹밥을 완성하려면 다음과 같이 이동해야 합니다.

90~91쪽

1 한주   2 (1) ○
3 여러 가지   4 (2) ×

5

우	리	∨	1	반	∨	친	구
들	의	∨	바	자	회	가	∨
열	렸	다	.				

6 (2) ○   7 싶 다 고
8 (1) ○
9 (1) 제목: 천 문 대 로 떠난 현장 체험학습
   (2) 소제목: 망원경으로 행 성 과 별 자 리 찾아보는
     시간 가지다
10 (1) 실습실 (2) 주먹밥 (3) 일 등

1 학급 신문 기사는 반에서 있었던 일이나 소식 따위를 담아 만든 신문에 들어가는 기사입니다.

왜 틀렸을까?
가족들과 있었던 일이나 소식 따위를 담아 만든 신문에 들어가는 기사는 가족 신문 기사입니다.

2 21일에 열린 교내 합창 대회에 나가 봄을 주제로 한 노래를 불러 우승을 하였다고 했습니다.

3 '가지'는 혼자 쓸 수 없지만 앞말과는 띄어 써야 하는 말입니다. 따라서 '여러 가지'가 알맞은 쓰임입니다.

4 12월 17일 학교 강당에서 열린 학예회에서 우리 반 친구들이 연극을 성공적으로 마쳤습니다.

왜 틀렸을까?
우리 반 친구들은 친구들과의 소중한 추억을 남기기 위하여 연극을 하였습니다. 상금에 대한 내용은 기사에서 찾아볼 수 없습니다.

5 뒤에 바자회에 참여한 김은서 친구의 인터뷰 내용이 이어지는 것으로 보아 빈칸에 들어갈 말은 '바자회'입니다.

6 인터뷰를 했던 김은서 친구는 이번 바자회에 참여해 많은 물건을 팔았다고 하였습니다.

7 다른 사람의 말을 큰따옴표 없이 자신의 글에 끌어와 쓸 때에는 '-고'를 사용합니다.

왜 틀렸을까?
'-라고'는 큰따옴표를 사용해 다른 사람의 말을 그대로 자신의 글에 끌어올 때 사용합니다.

8 기사를 읽고, 반 친구들이 한 일과 관련된 인터뷰 내용을 찾아봅니다.

9 반 친구들은 천문대로 현장 체험학습을 가서 망원경으로 행성과 별자리를 찾아보는 시간을 가졌습니다.

더 알아보기
기사의 제목은 기사의 내용을 짐작할 수 있도록 붙여야 하고, 소제목은 기사의 내용이 더 자세히 드러나도록 써야 합니다.

10 기사의 제목에서 친구들이 실습실에서 주먹밥을 만들었고, 김윤희 친구 모둠의 하트 주먹밥이 일 등을 했다는 것을 알 수 있습니다.

한 주 동안 수고했어요~!

94~95쪽 | **3주에는 무엇을 공부할까? ❷**

1-1 (2) ×	1-2 기 행 문
2-1 견 문	2-2 (3) ○

1-1 인터넷을 통하여 주고받는 편지글은 이메일입니다.

1-2 두 친구는 여행하면서 보고, 듣고, 느끼고, 겪은 것을 적은 글인 기행문을 써야 합니다.

2-1 여행하며 어떤 장소를 방문해 보고 들은 것은 견문입니다.

2-2 여행하며 어떤 장소를 방문해 보고 들은 것이 나타난 문장은 (3)입니다.

[왜 틀렸을까?]
(1) 여행하며 든 생각이나 느낌인 '감상'이 드러난 문장입니다.
(2) 여행의 과정이나 일정인 '여정'이 드러난 문장입니다.

97쪽 | 똑똑한 하루 글쓰기 **미리 보기**

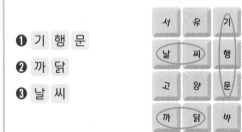

❶ 기 행 문
❷ 까 닭
❸ 날 씨

98~99쪽 | 똑똑한 하루 글쓰기

1 (1) 수원 화 성 을 꼭 보고 싶다.
　(2) 수원 왕 갈 비 도 먹어 보고 싶다.
2 ❶ 평소에 역사와 문화에 관심이 많아 수 원 화 성 을 꼭 보 고 싶었다.
　❷ 유명한 수 원 왕 갈 비 도 먹 어 보 고 싶 었다.
3 지난 주말 가족들과 함께 수원으로 여행을 다녀왔다.

평	소	에	V	역	사	와	V	문	화	에	V	관

심	이	V	많	아	V	수	원	V	화	성	을	V	꼭	V
보	고	V	싶	었	다	.	* 유	명	한	V	수	원	V	
왕	갈	비	도	V	먹	어	V	보	고	V	싶	었	다	.

　아침부터 날씨가 너무 좋아 수원으로 향하는 기차를 타러 가는 길이 더욱 설렜다.

1 지욱이는 수원에 가서 수원 화성을 보고, 수원 왕갈비도 먹어 보고 싶었습니다.

2 1에서 답한 수원에 가고 싶었던 이유에 맞게, 수원을 여행한 까닭이나 목적을 문장으로 써 봅니다.

3 2에서 완성한 여행한 까닭이나 목적을 나타내는 문장을 넣어 기행문의 처음 부분을 완성해 봅니다.

채점 기준

여행한 까닭이나 목적이 잘 드러나게 기행문의 처음 부분을 정리해 썼으면 정답으로 합니다.

100쪽 | 똑똑한 하루 글쓰기 **고쳐쓰기**

1 (1) 수원에 드디어 가게 돼 서 너무 설레.
　(2) 수원에 드디어 가게 되 어 서 너무 설레.

2	세	계	V	문	화	유	산	인	V	수	원	V	화
	성	을	V	꼭	V	한	번	V	보	고	V	싶	어	.
	그	리	고	V	유	명	한	V	수	원	V	왕	갈	비
	도	V	먹	어	V	봐	야	지	!					

1 '돼'는 '되어'의 준말이므로 '돼서' 또는 '되어서'로 써야 알맞은 말입니다.

2 서로 비슷한 내용을 이어 주는 말은 '그리고'입니다.

101쪽 | 똑똑한 하루 글쓰기 **마무리**

　아침부터 날이 따뜻하던 6월의 어느 날, 부모님을 졸라 고속 철도를 타고 여수로 향했다.

우	연	히	V	여	수	에	V	대	한	V	노	래
를	V	듣	고	V	여	수	의	V	밤	바	다	를	V
보	고	V	싶	었	다	.	V	또	,	V	예	전	부	터
내	가	V	존	경	하	는	V	이	순	신	V	장	군
이	V	전	투	를	V	펼	친	V	곳	이	기	도	V
해	V	더	욱	V	가	V	보	고	V	싶	었	다	.

○ 밤톨이의 말을 읽고 여행한 까닭이나 목적을 씁니다.

채점 기준

구분	답안 내용	
평가 기준	밤톨이의 말에 맞게 여행한 까닭이나 목적을 써 기행문의 처음 부분을 완성했습니다.	상
	밤톨이의 말에 맞게 여행한 까닭이나 목적을 썼지만 맞춤법이나 띄어쓰기가 틀린 부분이 있습니다.	중
	밤톨이의 말과 다르게 여행한 까닭이나 목적을 썼습니다.	하

2일

103쪽 　　　　　　똑똑한 **하루 글쓰기** 미리 보기

 - 여 정 ,

104~105쪽 　　　　　　똑똑한 **하루 글쓰기**

1 가장 먼저, 오전 열한 시에 레일 바이크 탑승장에 도 착 했다.
2 (1) 오후 한 시에 김 유 정 문 학 촌 에 도 착 했다.
　(2) 오후 세 시에는 마 지 막 으 로 애 니 메 이
　　션 박 물 관 으 로 갔다.
3 ❶ 예 가장 먼저, 오전 열한 시에 레일 바이크 탑승장에 도착했다. 레일 바이크를 타니 강과 산이 어우러진 풍경이 눈앞에 펼쳐졌다. 페달을 밟는 것이 조금 힘들었지만 바람이 시원하고 풍경이 아름다웠다. / ❷ 예 오후 한 시에 김유정 문학촌에 도착했다. 김유정 작가는 「봄봄」, 「동백꽃」 등의 작품을 썼다고 한다. 「봄봄」을 읽어 봐야겠다고 생각했다.
　❸ 예 오후 세 시에는 마지막으로 애니메이션박물관으로 갔다. 평소에 내가 좋아하는 캐릭터들과 관련된 전시물들을 보고 다양한 체험도 할 수 있어서 좋았다. 특히, 캐릭터 목소리를 녹음해 보는 체험이 재미있었다.

1~2 시간을 나타내는 표현과 장소를 나타내는 표현을 사용하여 여행의 여정을 알맞게 써 봅니다.

3 **1**과 **2**에서 쓴 문장을 이용해 여행의 여정을 시간의

차례대로 정리해 봅니다.

채점 기준

여행의 여정을 모두 잘 정리해 썼으면 정답으로 합니다.

106쪽 　　　　　　똑똑한 **하루 글쓰기** 고쳐쓰기

1 바람이 시원하고 경 치 이/가 정말 예뻐요.
2 　체 험 할 ∨ 거 리 가 ∨ 많 아 서 ∨ 좋
　아 요 .

1 '산이나 들, 강, 바다 따위의 자연이나 지역의 모습.'을 뜻하는 '풍경'과 뜻이 같은 낱말은 '경치'입니다.

2 '내용이 될 만한 재료.'의 뜻을 가진 낱말은 '거리'이고, '수나 분량, 정도 따위가 일정한 기준을 넘어서.'의 뜻을 가진 낱말은 '많아서'입니다.

［ 더 알아보기 ］
'거리'는 글자 그대로 [거리]로 소리 나는 낱말입니다. [꺼리]로 읽지 않도록 주의합니다.

107쪽 　　　　　　똑똑한 **하루 글쓰기** 마무리

　5월의 어느 날, 담양으로 여행을 떠났다. 판판이 좋아하는 대나무가 가득한 도시라는 말을 듣고 꼭 가 보고 싶었다.
　❶ 가장 먼저 점심시간에 맞추어 국수 거리에 갔다. 줄지어 서 있는 국수 가게들 중 한 곳에서 국수를 게 눈 감추듯 맛있게 먹었다.
　배가 부르게 국수를 먹고 난 뒤 ❷ 오후 1시쯤 국수 거리 근처에 있는 관방제림으로 발걸음을 옮겼다. 관방천에 있는 제방을 '관방제'라고 하고, 이 관방제를 따라 이루어진 나무 숲을 '관방제림'이라 한다고 아버지께서 말씀해 주셨다.
　❸ 오후 2시, 다음으로 향한 곳은 죽녹원이었다. 관방제림에서 징검다리를 건너 금방 도착한 죽녹원에서는 다양한 종류의 대나무들로 이루어진 대나무 숲을 볼 수 있었다. 대나무가 다른 식물보다 산소를 많이 배출해 대나무 숲은 다른 곳보다 시원하다고 한다. 정말 에어컨을 켜 둔 방 안에 있는 것 같은 느낌이었다.
　❹ 오후 4시에 마지막으로 메타세쿼이아 길에 도착했다. 하늘 높이 뻗은 나무들을 보니 내 키도 나무처럼 커졌으면 좋겠다는 생각이 들었다. / 담양은 정말 볼거리가 많은 멋진 여행지이다. 알찬 여행을 해서 기분이 좋았다.

○ 시간의 차례에 맞게 여행의 과정이나 일정을 정리해 써 봅니다.

채점 기준		
구분	답안 내용	
평가 기준	❶~❹를 모두 시간의 차례에 맞게 잘 정리해 썼습니다.	상
	❶~❹를 모두 시간의 차례에 맞게 잘 정리해 썼지만 맞춤법이나 띄어쓰기가 틀린 부분이 있습니다.	중
	❶~❹ 중 시간의 차례에 맞지 않는 부분이 있습니다.	하

3일

109쪽 ‧ 똑똑한 **하루 글쓰기** 미리 보기

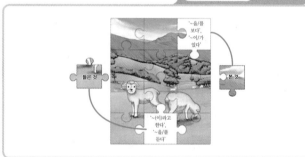

110~111쪽 ‧ 똑똑한 **하루 글쓰기**

1 고수 동굴에서는 종유석과 신기하게 생긴 돌 기 둥 등을 볼 수 있었다.

2 고수 동굴은 우리나라의 대 표 적 인 석 회 암 동 굴 이 라 고 한다.

3
고	수	V	동	굴	에	서	는	V	종	유	석	과	V
신	기	하	게	V	생	긴	V	돌	기	둥	V	등	을	V
볼	V	수	V	있	었	다	.	고	수	V	동	굴	은	V
우	리	나	라	의	V	대	표	적	인	V	석	회	암	V
동	굴	이	라	고	V	한	다	.					

1 고수 동굴에서는 종유석과 신기하게 생긴 돌기둥 등을 볼 수 있습니다.

2 리아는 고수 동굴을 여행하며 고수 동굴은 우리나라의 대표적인 석회암 동굴이라는 말을 들었습니다.

3 **1**과 **2**에서 쓴 문장을 이용해 기행문의 견문 부분을 완성해 봅니다.

채점 기준
여행하며 보고 들은 것을 잘 정리해 썼으면 정답으로 합니다.

112쪽 ‧ 똑똑한 **하루 글쓰기** 고쳐쓰기

1 종유석과 신기한 돌기둥들이 눈을 사로잡아서 지루할 겨 를 이/가 없었어.

2
감	자	튀	김	의	V	겉	은	V	바	삭	했	지
만	V	속	은	V	부	드	러	웠	다	.		

1 '어떤 일을 하다가 생각 따위를 다른 데로 돌릴 수 있는 시간적인 여유.'를 뜻하는 '틈'과 뜻이 같은 낱말은 '겨를'입니다.

2 서로 반대되는 내용의 문장을 이어 주는 말 '하지만'으로 이어진 두 문장을 한 문장으로 합칠 때에는 '−지만'을 사용할 수 있습니다.

113쪽 ‧ 똑똑한 **하루 글쓰기** 마무리

예 먼저 감천 문화 마을에 도착했다. 부산에는 산자락을 따라 집들이 늘어선 감천 문화 마을이 있다. 감천 문화 마을은 역사적 가치를 보존하며 마을의 재생을 이루어 낸 공간이라고 한다. 조금 가파른 곳들이 있어 돌아다니는 것이 힘들기도 했지만 엄마가 사진을 많이 찍어 주셔서 즐거웠다.
　저녁 무렵에 광안리 해변으로 가, 부모님과 함께 밤까지 그곳에서 머물렀다. 광안리 해변에 앉아 가만히 파도 소리를 들었다. 밤에는 광안 대교가 불빛을 밝히는 광안리의 야경을 보았다. 바다를 보고 있으니 공부하느라 느꼈던 힘듦이 다 씻겨 내려가는 것 같았다.

○ 기행문에 여행하면서 보고 들은 견문을 쓸 때에는, '~을/를 보다', '~이/가 있다' 등의 본 것을 나타내는 표현과 '~(이)라고 한다', '~을/를 듣다' 등의 들은 것을 나타내는 표현을 사용할 수 있습니다.

채점 기준

구분	답안 내용	
평가 기준	본 것과 들은 것을 나타낸 문장을 모두 잘 써넣었습니다.	상
	본 것과 들은 것을 나타낸 문장을 모두 써넣었지만 문장의 위치가 어색하거나, 맞춤법이나 띄어쓰기가 틀린 부분이 있습니다.	중
	본 것과 들은 것을 나타낸 문장 중 일부를 써넣지 않았습니다.	하

4일

115쪽 똑똑한 **하루 글쓰기** 미리 보기

 – 감상, – 비유, – 솔직

116~117쪽 똑똑한 **하루 글쓰기**

1 (1) 케이블카를 타고 미륵산 정상의 전망대에 올라갔다.
  (2) 바다가 한눈에 내려다보였다.

2 ❶ 전망대에서 내려다본 통영 바다는 반짝반짝 보석처럼 빛났다.
  ❷ 지금까지 본 바다 중에서 가장 아름다웠다.

3
전	망	대	에	서	∨	내	려	다	본	∨	통	영	∨
바	다	는	∨	반	짝	반	짝	∨	보	석	처	럼	
빛	났	다	.	지	금	까	지	∨	본	∨	바	다	∨
중	에	서	∨	가	장	∨	아	름	다	웠	다	.	

1 글쓴이가 한 여행의 첫 번째 장소에서의 여정과 견문을 정리해 봅니다.

2 글쓴이가 1에서 정리한 장소를 여행하며 든 생각이나 느낌을 문장으로 써 봅니다.

3 2에서 쓴 문장을 이용해 여행하며 든 생각과 느낌을 쓴 기행문의 감상 부분을 완성해 봅니다.

118쪽 똑똑한 **하루 글쓰기** 고쳐쓰기

1 케이블카를 타면 미륵산 산꼭대기까지 올라갈 수 있다.

2
동	생	의	∨	목	소	리	는	∨	마	치	∨	아
름	다	운	∨	노	랫	소	리	∨	같	다	.	

1 '산 등의 맨 꼭대기.'를 뜻하는 '정상'은 '산꼭대기'로 바꾸어 쓸 수 있습니다.

(더 알아보기)
'정상'과 '산꼭대기'는 '산머리', '산이마' 등의 낱말로 바꾸어 쓸 수도 있습니다.

2 '거의 비슷하게.'라는 뜻을 가진 낱말 '마치'는 '~ 같다' 등의 말과 함께 사용해야 합니다.

119쪽 똑똑한 **하루 글쓰기** 마무리

예
뺨	을		간	지	럽	히	는		시	원	한	
숲		공	기	에		기	분	이		좋	았	다	.

예
높	이		자	란		나	무	들	이		서	로
누	가		키	가		큰	지		겨	루	고		있
는		것		같	아		웃	음	이		나	왔	다	.

예
발		아	래		느	껴	지	는		흙	길	의
느	낌	과		상	쾌	한		숲	의		냄	새	가
어	우	러	져		마	음	이		뻥		뚫	리	는
느	낌	이		들	었	다	.					

○ 제주도의 사려니 숲길을 다녀와 쓴 기행문의 감상이 잘 드러난 문장을 한 가지 골라 써 봅니다.

채점 기준

구분	답안 내용	
평가 기준	보기 의 문장 중 한 가지를 골라 맞춤법과 띄어쓰기에 맞게 썼습니다.	상
	보기 의 문장 중 한 가지를 골라 썼지만 맞춤법과 띄어쓰기가 틀린 부분이 있습니다.	중
	제주도의 사려니 숲길을 다녀온 사실과 관계없는 감상을 썼습니다.	하

5일

121쪽 똑똑한 **하루 글쓰기** 미리 보기

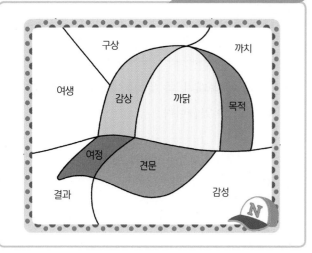

구상 / 까치 / 여생 / 감상 / 까닭 / 목적 / 여정 / 견문 / 결과 / 감성

122~123쪽 똑똑한 **하루 글쓰기**

1 동생과 함께 동영상 자료들을 찾아보다가 순천만 습지의 노을 지는 모습을 보고 순천에 꼭 가고 싶었다.

2 ❶ 먼저 낙안읍성민속마을에 갔다. 이곳은 남부 지방의 옛 주거 양식을 살펴볼 수 있는 마을이라고 한다. 내가 사는 동네와는 다른 민속 마을의 모습이 신기했다.

❷ 다음으로 순천만 습지에 도착해 노을이 지는 순천만의 모습을 보았다. 한순간도 놓치고 싶지 않을 만큼 아름다웠다.

3 예 친한 친구들에게 순천 여행을 꼭 추천해 주고 싶다.
예 동생과 나의 기대를 뛰어넘을 만큼 행복한 여행이었다.

1 동영상 자료를 찾아보다가 순천으로 여행하기로 마음먹었습니다.

2 지연이가 여행하며 보고, 듣고, 느끼고, 겪은 것을 정리해 기행문의 가운데 부분을 완성해 봅니다.

3 지연이가 기행문에 쓸 수 있는 여행의 전체를 아우르는 느낌을 골라 써 봅니다.

채점 기준

보기 의 내용 중 한 가지를 골라 알맞게 썼으면 정답입니다.

124쪽 똑똑한 **하루 글쓰기** 고쳐쓰기

1 (1) 오랫동안 (2) 오랜만에
2 싸늘하게 V 불어오는 V 늦가을 V 바람과 V 흔들리는 V 갈대, 그리고 V 노을이 V 어우러져 V 아름다워!

1 '시간상으로 썩 긴 동안.'을 뜻하는 낱말은 '오랫동안'이고, '오래간만에'의 준말은 '오랜만에'입니다.

2 '늦은 가을.'을 뜻하는 알맞은 낱말은 '늦가을'이고, '여럿이 조화되어 한 덩어리나 한판을 크게 이루게 되어.'를 뜻하는 알맞은 낱말은 '어우러져'입니다.

더 알아보기
'늦-'은 다른 말 앞에 붙어 '늦은'의 뜻을 더하는 말입니다.
예 늦더위, 늦공부

125쪽 똑똑한 **하루 글쓰기** 마무리

예 지난 주말, 아빠와 함께 고속 버스를 타고 충청남도 부여에 다녀왔다. 수업 시간에 백제에 대해 배운 내용을 말씀드리자 아빠께서 직접 부여에 가 백제의 자취를 찾아보자고 하셨다.

가장 먼저 도착한 곳은 정림사지였다. 정림사지는 삼국 시대 백제의 사찰터라고 한다. 이곳에서 국보 중 하나인 5층 석탑을 볼 수 있었다.

다음으로 근처에 있는 국립부여박물관을 방문했다. 국립부여박물관에서 가장 기억에 남는 것은 백제금동대향로이다. 섬세하고 아름다운 모습에 오랜 시간 눈을 뗄 수가 없었다.

마지막으로 향한 곳은 낙화암이었다. 낙화암에 가기 위해 우선 구드래 나루터로 향해, 유람선에 올라탔다. 오랜만에 타 본 유람선이라 기분이 좋았다. 유람선에서 내려 20분 정도 걸어가니 드디어 낙화암에 도착했다. 아버지께 낙화암과 백제 의자왕에 얽힌 이야기도 들을 수 있었다.

떠나기 전에는 부여가 어디에 있는지도 잘 몰랐는데, 막상 가 보니 백제의 문화와 역사에 흠뻑 취할 수 있어 의미 있었던 부여 여행이었다.

○ 자신이 다녀온 여행지 중 한 군데를 골라 기행문을 완성해 봅니다.

채점 기준

구분	답안 내용	
평가 기준	여행한 까닭이나 목적, 여정, 견문, 감상이 모두 잘 드러나게 기행문을 썼습니다.	상
	여행한 까닭이나 목적, 여정, 견문, 감상이 드러나게 기행문을 썼지만 맞춤법이나 띄어쓰기가 틀린 부분이 있습니다.	중
	여정, 견문, 감상이 잘 드러나지 않게 썼습니다.	하

특강

똑똑한 **하루** 창의·융합·코딩

127쪽

"원숭이도 나무에서 떨어진다"더니 항상 달리기에서 1등을 하던 시하가 넘어져서 꼴찌를 했다.

128쪽

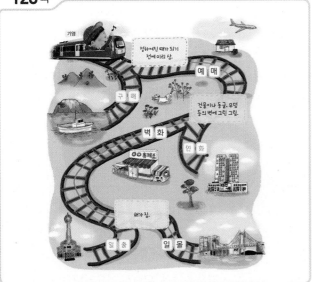

○ '정하여진 때가 되기 전에 미리 삼.'이라는 뜻의 낱말은 '예매', '건물이나 동굴, 무덤 등의 벽에 그린 그림.'이라는 뜻의 낱말은 '벽화', '해가 짐.'이라는 뜻의 낱말은 '일몰'입니다.

129쪽

❶ 수원 ❷ 춘천 ❸ 순천 ❹ 단양 ❺ 통영

○ 보기 에 있는 도시들의 위치를 지도에서 알맞게 찾아 도시의 이름을 각각 써 봅니다.

130쪽

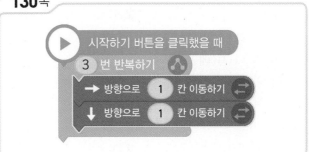

○ 레일 바이크 탑승장, 김유정 문학촌, 애니메이션박물관을 차례대로 지나가기 위해서는 '→ 방향으로 한 칸 이동하기, ↓ 방향으로 한 칸 이동하기'를 세 번 반복해야 합니다. 코딩 명령에 따라 이동하면 다음과 같습니다.

131쪽

○ 순천의 일출 시각은 ⬤⬤⬤, 일몰 시각은 ⬤⬤⬤예요.

○ 17시 35분(오후 5시 35분)을 시계에 표시해 봅니다.

┌ **더 알아보기** ┐

하루를 24시간으로 표현할 때에, 오후 1시는 13시, 오후 2시는 14시……와 같이 표현할 수 있습니다.

평가 ● 누구나 100점 테스트

132~133쪽

---

1 기찬

2 (1) ○

3

가	장	V	먼	저	,		오
전	V	11	시	에	V	레	일	V
바	이	크	V	탑	승	장	에	V
도	착	했	다	.			

4 국수 거리

5 (3) ✕

6 (1) ② (2) ①

7 (2) ✕

8 기행문

9 판판

10

노	을	이	V	지	는	V	
모	습	이	V	예	뻐	서	V
한	순	간	도	V	놓	치	고	V
싶	지	V	않	았	다	.	

---

1 기행문은 여행하면서 보고, 듣고, 느끼고, 겪은 일을 적은 글입니다.

（ **왜 틀렸을까?** ）
기찬이는 사과하는 글에 대해 말했습니다.

2 수원 화성을 꼭 보고 싶었고, 유명한 수원 왕갈비도 먹어 보고 싶었다는 것은 수원을 여행한 목적이나 까닭입니다.

3 그림에 어울리는 낱말인 '레일 바이크'를 쓰고 문장을 따라 써 봅니다.

4 글에 나타난 글쓴이의 여정을 살펴보면, 글쓴이는 가장 먼저 점심시간에 맞추어 국수 거리에 갔습니다.

5 글쓴이가 보거나 들은 견문을 살펴보면, 글쓴이는 아버지께 관방제를 따라 이루어진 나무숲을 '관방제 림'이라고 한다는 말을 들었고, 다양한 종류의 대나 무들로 이루어진 대나무 숲을 보았습니다.

（ **왜 틀렸을까?** ）
글쓴이는 대나무가 다른 식물보다 산소를 많이 배출해 대나무 숲은 다른 곳보다 시원하다는 말을 들었습니다.

6 여행하며 어떤 장소를 방문해 보고 들은 것을 견문이라고 합니다. 본 것을 나타낼 때에는 '~을/를 보다', '~이/가 있다' 등의 표현을, 들은 것을 나타낼 때에는 '~(이)라고 한다', '~을/를 듣다' 등의 표현을 사용할 수 있습니다.

7 (2)는 여행의 과정이나 일정인 '여정'이 드러난 문장입니다.

8 이 글은 통영을 여행하면서 보고, 듣고, 느끼고, 겪은 일을 쓴 기행문입니다.

（ **왜 틀렸을까?** ）
• **그림일기**: 오늘 있었던 일과 그 일에 대한 생각이나 느낌을 그림과 함께 쓴 일기.
• **실험 보고서**: 실험을 한 뒤에 실험을 하는 과정과 결과를 보고하려고 쓴 글.

9 이 글은 순천만 습지에 다녀와 쓴 기행문입니다. 글쓴이는 노을이 기대했던 것 이상으로 아름다워 평생 잊을 수 없는 순간이었다고 했으므로 판판의 말은 알맞지 않습니다.

10 글쓴이와 같은 장소인 순천만 습지에 다녀와서 쓸 수 있는 감상으로 알맞은 낱말은 '노을'입니다.

한 주 동안
수고했어요~!

136~137쪽 | 4주에는 무엇을 공부할까? ②

1-1 (1) ○　　　　　1-2 실험 보고서
2-1 (2) ×　　　　　2-2 주희

1-1 실험 보고서는 실험을 한 뒤에 실험을 하는 과정과 결과를 보고하려고 쓰는 글입니다.

1-2 실험 과정과 결과를 보고하는 실험 보고서를 씁니다.

2-1 실험 과정을 쓸 때에는 사진이나 그림을 넣어서 실험 과정을 차례대로 정리하여 씁니다.

2-2 실험 과정을 쓰며 사진이나 그림을 넣으면 어떤 방법으로 실험을 했는지 이해하기 쉽습니다.

1일

139쪽 | 똑똑한 하루 글쓰기 미리 보기

❶ 실 험
❷ 결 과
❸ 까 닭

정	까	닭	오
실	계	비	리
험	기	관	치
효	서	결	과

140~141쪽 | 똑똑한 하루 글쓰기

1 금속 막대, 플라스틱 막대, 고 무 막대 중에서 가장 단 단 한 것이 무엇인지 알고 싶다.
2 금속 막대, 플 라 스 틱 막 대, 고 무 막 대 중 에 서 가 장 단 단 한 것이 무엇인지 알 수 있다.
3 ⟨예⟩ 금속 막대, 플라스틱 막대, 고무 막대 중에서 가장 단단한 것이 무엇인지 알 수 있다.

1 기찬이는 금속 막대, 플라스틱 막대, 고무 막대 중에서 가장 단단한 것이 무엇인지 알고 싶어 합니다.

2 1에서 답한 내용을 바탕으로 실험을 통해 무엇에 대해 알 수 있을지 정리해 봅니다.

3 2에서 쓴 문장을 넣어 실험 목표를 알맞게 씁니다.

채점 기준

실험을 통해 알고 싶은 점이 잘 드러나게 실험 목표를 썼으면 정답으로 합니다.

142쪽 | 똑똑한 하루 글쓰기 고쳐쓰기

1 (1) 떼 어　(2) 때 어
2 셋 ∨ 중 ∨ 잘 ∨ 긁 히 지 ∨ 않 는 ∨ 막 대 가 ∨ 가 장 ∨ 단 단 한 ∨ 막 대 이 겠 구 나 .

1 (1) 붙어 있는 것을 떨어지게 하는 상황에 알맞은 뜻의 낱말인 '떼어'로 고쳐 써야 합니다.
(2) 불을 지피어 타게 하는 상황에 알맞은 뜻의 낱말인 '때어'로 고쳐 써야 합니다.

2 '중'은 '여럿의 가운데.'라는 뜻으로, 앞말과 띄어 씁니다.

〔 더 알아보기 〕
'그중'은 하나의 낱말로, '범위가 정해진 여럿 가운데.'라는 뜻입니다.

143쪽 | 똑똑한 하루 글쓰기 마무리

실험 목표	⟨예⟩ 막대자석을 얼마나 가까이 가져가야 쇠구슬이 움직이는지 알 수 있다.

○ 만화를 읽고, 알맞은 실험 목표를 써 봅니다.

채점 기준

구분	답안 내용	
평가 기준	실험을 하는 까닭이나 실험을 통해 알고 싶은 점이 잘 드러나게 썼습니다.	상
	실험을 하는 까닭이나 실험을 통해 알고 싶은 점이 드러나게 썼지만 표현이 어색한 부분이 있습니다.	중
	실험을 하는 까닭이나 실험을 통해 알고 싶은 점이 잘 드러나지 않게 썼습니다.	하

2일

145쪽 똑똑한 **하루 글쓰기** 미리 보기

 – 과 정, – 차 례, – 사 진

146~147쪽 똑똑한 **하루 글쓰기**

1 (1) 화단 흙과 운동장 흙의 물에 뜬 [물][질]을 핀셋으로 건져서 거름종이 위에 올려놓는다.
(2) 두 거름종이 위에 올려놓은 물질의 [양]을 비교해 본다.
2 예 화단 흙과 운동장 흙의 물에 뜬 물질을 핀셋으로 건져서 거름종이 위에 올려놓고 물질의 양을 비교해 본다.

1 (1) 화단 흙과 운동장 흙의 물에 뜬 물질을 핀셋으로 건져서 거름종이 위에 올려놓았습니다.
(2) 두 거름종이 위에 올려놓은 물질의 양을 비교해 보았습니다.

(더 알아보기)
화단 흙에서 물에 뜬 물질
   물에 뜬 물질을 돋보기로 관찰해 보면 식물의 뿌리, 작은 나뭇가지, 죽은 곤충, 나뭇잎 조각 등이라는 것을 알 수 있습니다. 이 물질들은 식물을 잘 자라게 하는 양분이 됩니다.

2 **1**에서 답한 두 문장을 이어서 한 문장으로 정리해 봅니다.

채점 기준
   실험 과정에서 마지막 단계를 한 문장으로 이해하기 쉽게 정리했으면 정답으로 합니다.

148쪽 똑똑한 **하루 글쓰기** 고쳐쓰기

1 (1) [숟][가][락] (2) [핀][셋]
2

화	단	∨	흙	은	∨	물	에	∨	뜬	∨	물	질
이	∨	많	지	만	∨	운	동	장	∨	흙	은	∨	물
에	∨	뜬	∨	물	질	이	∨	거	의	∨	없	다	.

1 (1) '숟가락'에서 '숟'의 받침 'ㅅ'을 'ㄷ'으로 고쳐 써야 합니다.
(2) '핀셥'에서 '셥'의 받침 'ㅂ'을 'ㅅ'으로 고쳐 써야 합니다.

2 두 문장을 하나의 문장으로 합칠 때에 '많다. 하지만'은 '많지만'으로 합쳐 씁니다. '하지만'은 내용이 서로 같지 않거나 반대인 두 문장을 이어 줄 때에 쓰는 말입니다.

149쪽 똑똑한 **하루 글쓰기** 마무리

❶ 주전자에 물을 반 정도 붓고, 유성 펜으로 물의 높이를 표시한다.
❷ 물을 계속 가열하면서 물이 끓을 때 나타나는 변화를 관찰해 본다.
❸ 불을 끄고 물의 높이를 처음과 비교해 본다.

◉ 실험을 어떤 순서로 할지 생각하며 사진과 어울리는 내용을 보기 에서 골라 차례대로 써 봅니다.

채점 기준

구분	답안 내용	
평가 기준	사진과 어울리는 실험 과정을 차례대로 알맞게 썼습니다.	상
	사진과 어울리는 실험 과정을 차례대로 썼지만, 맞춤법과 띄어쓰기에 틀린 부분이 있습니다.	중
	사진과 어울리는 실험 과정을 한 가지만 알맞게 썼습니다.	하

(더 알아보기)
실험 결과와 실험을 통해 알게 된 사실 알아보기 예

실험 결과	• 물이 끓기 전에는 물속에서 변화가 거의 없다가 물이 끓을 때에는 물속에서 기포가 생겼다.
	• 물이 끓고 난 후 물의 높이가 낮아졌다.
알게 된 사실	물을 가열하면 기포가 생기며 액체인 물이 기체인 수증기로 상태가 변한다.

3일

151쪽

끝났을

152~153쪽

1 (1) 두 컵 에 각각 솜을 넣고 강낭콩을 놓아둔다.

　(2) 한쪽 강낭콩에만 물 을 주어서 일주일 뒤에 비교해 본다.

2 물을 준 강낭콩은 싹 이 텄 지 만 , 물 을 주 지 않 은 강낭콩은 싹이 트지 않았다.

3

	물	을	∨	준	∨	강	낭	콩	은	∨	싹	이	∨
텄	지	만	,		물	을	∨	주	지	∨	않	은	∨	강
낭	콩	은	∨	싹	이	∨	트	지	∨	않	았	다	.

1 (1) 두 컵에 솜과 강낭콩이 각각 담겨 있습니다.

　(2) 한쪽 강낭콩에만 물을 주고 있습니다.

2 사진으로 보아 물을 준 강낭콩은 싹이 텄지만, 물을 주지 않은 강낭콩은 싹이 트지 않았다는 것을 알 수 있습니다.

{ 더 알아보기 }

강낭콩의 꽃과 열매

▲ 강낭콩의 꽃　　▲ 강낭콩의 열매

3 **2**에서 쓴 문장을 넣어 실험 보고서에 들어갈 실험 결과를 완성해 봅니다.

채점 기준

실험 과정이 끝났을 때의 상황을 이해하기 쉽게 정리했으면 정답으로 합니다.

154쪽

1 (1) 강 낭 콩 　(2) 흠 뻑

2

컵	,	솜	,	온	도	,	공	기	∨	등	의	∨
조	건	은	∨	모	두	∨	같	게	∨	하	되	∨	한
쪽	에	만	∨	물	을	∨	주	었	다	.

1 (1) '강남콩'에서 '남'의 받침 'ㅁ'을 'ㅇ'으로 고쳐 써야 합니다.

　(2) '흠뻑'에서 '흠'의 모음 'ㅜ'를 'ㅡ'로 고쳐 써야 합니다. '흠뻑'은 '물이 쭉 내배도록 몹시 젖은 모양.'이라는 뜻입니다.

2 문장에 쓰인 '~대'는 '~되'의 잘못된 표현입니다. '~되'는 어떤 일을 말하면서 그와 관련된 조건이나 세부 내용을 덧붙일 때에 쓸 수 있습니다.

155쪽

	막	대	자	석	의		오	른	쪽		끝	부	분
과		왼	쪽		끝	부	분	에		클	립	이	
많	이		붙	었	다	.							

○ 실험 결과를 찍은 사진에 어울리는 내용을 보기 에서 골라 써 봅니다.

채점 기준

구분	답안 내용	
평가 기준	사진과 어울리는 실험 결과를 보기 에서 골라 알맞게 썼습니다.	상
	사진과 어울리는 실험 결과를 보기 에서 골라 썼지만, 맞춤법과 띄어쓰기에 틀린 부분이 있습니다.	중
	사진과 어울리지 않는 실험 결과를 보기 에서 골라 썼습니다.	하

{ 더 알아보기 }

실험을 통해 알게 된 사실

막대자석에서 힘의 세기가 가장 큰 부분은 양쪽 끝부분입니다.

4일

157쪽 ^{똑똑한} 하루 글쓰기 미리 보기

❶ 결과
❷ 결론
❸ 해결

158~159쪽 ^{똑똑한} 하루 글쓰기

1 (1) 두 막대자석을 같은 극끼리 마주 보게 막대에 매달자 서로 멀리 떨어졌다.
  (2) 두 막대자석을 다른 극끼리 마주 보게 막대에 매달자 서로 달라붙었다.
2 자석은 같은 극끼리 서로 밀어 내지만, 다른 극끼리 서로 끌어당긴다.
3 예 자석은 같은 극끼리 서로 밀어 내지만, 다른 극끼리 서로 끌어당긴다.

1 (1) 사진으로 보아 두 막대자석을 같은 극끼리 마주 보게 막대에 매달면 서로 멀리 떨어진다는 것을 알 수 있습니다.
  (2) 사진으로 보아 두 막대자석을 다른 극끼리 마주 보게 막대에 매달면 서로 달라붙는다는 것을 알 수 있습니다.

2 1의 내용을 보고, 알 수 있는 것을 한 문장으로 정리하여 씁니다.

3 2에서 완성한 문장을 넣어 실험을 통해 알게 된 사실을 써 봅니다. 이때, 알게 된 사실은 실험 전에 알고 싶었던 점이 해결된 내용이어야 합니다.

> **채점 기준**
> 실험 결과에서 이끌어 낸 판단이나 결론을 알맞게 정리했으면 정답으로 합니다.

160쪽 ^{똑똑한} 하루 글쓰기 고쳐쓰기

1 다른
2 자석의 ∨ 같은 ∨ 극끼리 ∨ 작용하는 ∨ 힘과 ∨ 다른 ∨ 극끼리 ∨ 작용하는 ∨ 힘에 ∨ 대해 ∨ 알 수 ∨ 있다.

1 '틀린'은 '셈이나 사실 따위가 그르게 되거나 어긋난.'이라는 뜻이므로 '다른'으로 고쳐 써야 합니다. '다른'은 '비교가 되는 두 대상이 서로 같지 아니한.'이라는 뜻입니다.

2 '~끼리'는 앞말에 '그 부류만이 서로 함께'라는 뜻을 더해 주는 말입니다. 따라서 앞말과 붙여 써야 합니다.

161쪽 ^{똑똑한} 하루 글쓰기 마무리

예 용수철에 걸어 놓은 추의 무게가 일정하게 늘어나면 용수철의 길이도 일정하게 늘어난다.

◉ 그림에서 실험을 통해 알게 된 사실을 말한 아이를 찾아보고, 아이가 말한 내용을 바탕으로 하여 알맞은 문장을 써 봅니다.

> **채점 기준**

구분	답안 내용	
평가 기준	노란색 옷을 입은 아이의 말에서 실험을 통해 알게 된 사실을 찾아 알맞게 썼습니다.	상
	노란색 옷을 입은 아이의 말에서 실험을 통해 알게 된 사실을 찾아 썼지만, 문장에 어색한 부분이 있습니다.	중
	다른 세 아이의 말에서 찾아 썼습니다.	하

더 알아보기

 실험 목표에 대해 말하였습니다.

 실험 과정에 대해 말하였습니다.

 실험 결과에 대해 말하였습니다.

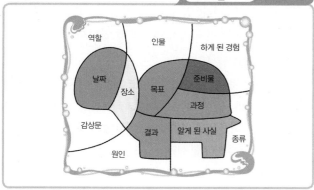

5일

163쪽　^{똑똑한} **하루 글쓰기** 미리 보기

164~165쪽　^{똑똑한} **하루 글쓰기**

1 (1) 막대자석 한 개를 ｜클｜ ｜립｜에 가져가서 붙는 개수를 관찰해 본다.

(2) 막대자석 ｜두｜ 개를 이어 붙인 것을 클립에 가져가서 붙는 개수를 관찰해 본다.

2 ｜막｜｜대｜｜자｜｜석｜ ｜한｜ ｜개｜에는 클립이 30개 붙었고, 막대자석 두 개를 이어 붙인 것에는 ｜클｜｜립｜｜이｜ ｜39개｜ ｜붙｜｜었｜｜다｜.

3 막대자석 한 개보다 막대자석 두 개를 이어 붙인 것에 클립이 더 많이 붙는다.

1 (1) 먼저 막대자석 한 개를 클립에 가져가서 붙는 개수를 관찰해 보았습니다.

(2) 다음에 막대자석 두 개를 이어 붙인 것을 클립에 가져가서 붙는 개수를 관찰해 보았습니다.

2 막대자석 한 개에는 클립이 30개 붙었고, 막대자석 두 개를 이어 붙인 것에는 클립이 39개 붙었다는 결과가 표에 나타나 있습니다.

3 실험 결과를 통해 막대자석 한 개보다 막대자석 두 개를 이어 붙인 것에 클립이 더 많이 붙는다는 사실을 알 수 있습니다.

> 채점 기준
>
> 보기 의 문장 중 첫 번째 문장을 골라 알맞게 썼으면 정답입니다.

166쪽　^{똑똑한} **하루 글쓰기** 고쳐쓰기

1 ｜개｜ ｜수｜

2 ｜막｜대｜자｜석｜∨｜두｜∨｜개｜를｜∨｜이｜어｜∨｜ ｜붙｜여｜도｜∨｜어｜차｜피｜∨｜자｜석｜∨｜한｜∨｜덩｜ ｜어｜리｜잖｜아｜.｜

1 '한 개씩 낱으로 셀 수 있는 물건의 수.'라는 뜻을 가지는 낱말로 알맞은 것은 '개수'입니다. '갯수'는 '개수'의 잘못된 표현입니다.

2 '덩어리'가 단위를 나타내는 말로 쓰이면 앞말과 띄어 씁니다.

> ⎰ 더 알아보기 ⎱
>
> '심술덩어리'처럼 '덩어리'가 '그러한 성질을 가지거나 그런 일을 일으키는 사람이나 사물을 나타내는 말.'로 쓰이면 앞말과 붙여 씁니다.

167쪽　^{똑똑한} **하루 글쓰기** 마무리

실험 날짜 및 장소	20○○년 5월 30일, 과학실
실험 목표	지층이 쌓이는 ｜순서｜를 알 수 있다.
실험 준비물	네 가지 ｜색깔｜의 고무찰흙, 칼
실험 과정	❶ 고무찰흙을 색깔별로 ｜차례차례 쌓는다｜. ❷ 쌓은 고무찰흙을 반으로 잘라서 단면을 관찰해 본다.
실험 결과	줄무늬가 보이고, 아래쪽부터 고무찰흙을 쌓은 순서대로 색깔이 보였다.
알게 된 사실	(예) 지층의 아래에 있는 층이 위에 있는 층보다 먼저 만들어진다.

○ 빈칸에 알맞은 말과 내용을 넣어 한 편의 실험 보고서를 완성해 봅니다.

채점 기준		
구분	답안 내용	
평가 기준	보기 에서 알맞은 말을 골라 넣고, 실험을 통해 알게 된 사실을 알맞게 썼습니다.	상
	보기 에서 알맞은 말을 골라 넣고, 실험을 통해 알게 된 사실을 썼지만 맞춤법이나 띄어쓰기에 틀린 부분이 있습니다.	중
	보기 에서 알맞은 말을 골라 넣었지만 실험을 통해 알게 된 사실을 잘못 썼습니다.	하

특강 똑똑한 하루 창의·융합·코딩

169쪽

문밖에서 우연히 수아의 비밀을 듣게 된 나는 "낮 말 은 새 가 듣 고 밤 말 은 쥐 가 듣 는 다" 라는 속담이 떠올랐다.

170쪽

○ '과학에서, 이론이나 현상을 관찰하고 측정함.'이라는 뜻의 낱말은 '실험', '둘 이상의 것을 함께 놓고 어떤 점이 같고 다른지 살펴봄.'이라는 뜻의 낱말은 '비교', '어떤 사물의 효과나 작용이 다른 것에 미치는 일.'이라는 뜻의 낱말은 '영향'입니다.

─(왜 틀렸을까?)─
• **작용**: 어떠한 현상이 일어나는 원인이나 대상이 다른 대상이나 원인에 영향을 미침.
• **조건**: 어떤 일을 이루게 하거나 이루지 못하게 하기 위하여 갖추어야 할 상태나 요소.
• **특징**: 다른 것에 비하여 특별히 눈에 뜨이는 점.

171쪽

 (1) 2 (2) 1 (3) 1 (4) 2 (5) 2

○ 물이 담긴 주전자 → 가스버너 → 유성 펜 → 면장갑의 차례대로 길을 지나면 다음과 같습니다. 순서 카드에 알맞은 숫자를 써 봅니다.

172쪽

강낭콩은 자라면서 잎의 개 수 가 많아지고, 크기가 점점 커진다. 그리고 줄기의 길이가 길어지고, 굵 기 도 점점 굵어진다.

○ 강낭콩이 자라면서 많아지는 것은 잎의 개수이고, 굵어지는 것은 줄기의 굵기입니다.

173쪽

자석

○ 액체를 담을 수 있는 도구가 아니라고 하였으므로 비커는 아닙니다. 물건의 무게를 다는 데 사용되는 도구가 아니라고 하였으므로 전자저울도 아닙니다. 여러 가지 모양이 있고 두 개의 극을 가지고 있으며 쇠붙이를 끌어당기는 힘이 있다고 하였으므로 유리구슬도 아닙니다.

평가　　　　　　누구나 **100**점 테스트

174~175쪽

1 실험 보고서　　　　　2 실험 목표
3 (1) 3 (2) 1 (3) 2　　　4 기찬
5 (2) ○　　　　　　　6 실험 결과
7 (2) ○

8

공	기	도	∨	무	게	가	∨
있	다	.					

9

두	∨	막	대	자	석	의	∨
극	이	∨	서	로	∨	달	라
야	∨	붙	는	다	.		

10 정렬

1 실험을 하는 과정과 결과를 보고하는 글은 실험 보고서입니다.

(왜 틀렸을까?)
　견학 기록문은 어떤 장소를 다녀온 뒤에 알게 된 사실을 중심으로 보고 듣고 생각하거나 느낀 것을 기록한 글입니다.

2 여자아이는 실험을 통해 알고 싶은 점에 대해 말하고 있으므로 실험 목표와 관련이 있다는 것을 알 수 있습니다.

3 비커 두 개에 화단 흙과 운동장 흙을 각각 넣은 다음에 물을 붓고 저은 후, 물에 뜬 물질의 양을 비교하는 차례로 실험을 했습니다.

4 기찬이와 같이 실험 과정에 사진이나 그림을 넣으면 어떤 방법으로 실험을 했는지 이해하기 쉽습니다.

5 두 문장을 하나의 문장으로 합칠 때에 '자란다. 하지만'은 '자라지만'으로 써야 합니다.

6 실험 과정이 끝났을 때의 상황을 사실대로 써야 할 부분은 실험 결과입니다. 또 실험 결과를 쓸 때에 사진이나 그림을 넣으면 실험 결과를 좀 더 분명하게 알 수 있어서 좋습니다.

7 막대자석의 오른쪽 끝부분과 왼쪽 끝부분에 클립이 많이 붙었다는 실험 결과를 보여 주는 사진은 (2)입니다.

8 바람 빠진 축구공에 공기를 넣고 나니 0.6그램이 늘었다는 실험 결과로 보아, 공기도 무게가 있다는 사실을 알 수 있습니다.

9 '틀려야'는 '셈이나 사실 따위가 그르게 되거나 어긋나야.'라는 뜻입니다. 따라서 '비교가 되는 두 대상이 서로 같지 아니하여야.'라는 뜻의 '달라야'로 고쳐 써야 합니다.

10 실험 보고서에 과장한 내용이나 거짓된 내용은 쓰지 않아야 합니다.

다음 권에서 다시 만나요~!

편지 쓰기

기억에 남는 일을 일기로 남겨 봐요.

즐겁고 행복했던 일

날짜: _____   날씨: _____

제목: _____

슬프고 속상했던 일

날짜: _____   날씨: _____

제목: _____

친절한 말은 아주 짧기 때문에
말하기가 쉽다.

하지만 그 말의 메아리는 무궁무진하게
울려 퍼지는 법이다.

Kind words can be short and easy to speak,
but their echoes are truly endless.

테레사 수녀

친절한 말, 따뜻한 말 한마디는 누군가에게 커다란 힘이 될 수도 있어요.
나쁜 말 대신 좋은 말을 하게 되면 언젠가 나에게 보답으로 돌아온답니다.
앞으로 나쁘고 거친 말 대신 좋고 예쁜 말만 쓰기로 우리 약속해요!

정답은
이안에
있어 !

기초 학습능력 강화 프로그램
매일 조금씩 공부력 UP!

| 하루 독해 | 하루 어휘 | 하루 글쓰기 | 하루 VOCA |

| 하루 수학 | 하루 계산 | 하루 도형 | 하루 사고력 |

과목	교재 구성	과목	교재 구성
하루 수학	1~6학년 1·2학기 12권	하루 사고력	1~6학년 A·B단계 12권
하루 VOCA	3~6학년 A·B단계 8권	하루 글쓰기	예비초~6학년 A·B단계 12권
하루 사회	3~6학년 1·2학기 8권	하루 한자	1~6학년 A·B단계 12권
하루 과학	3~6학년 1·2학기 8권	하루 어휘	예비초~6학년 1~6단계 6권
하루 도형	1~6단계 6권	하루 독해	예비초~6학년 A·B단계 12권
하루 계산	1~6학년 A·B단계 12권		

※ 각 교재별 출간 시기는 조금씩 다릅니다.

배움으로 행복한 내일을 꿈꾸는
천재교육 커뮤니티 안내 . . .

 교재 안내부터 구매까지 한 번에!
천재교육 홈페이지

천재교육 홈페이지에서는 자사가 발행하는 참고서,
교과서에 대한 소개는 물론 도서 구매도 할 수 있습니다.
회원에게 지급되는 별을 모아 다양한 상품 응모에도
도전해 보세요.

 구독, 좋아요는 필수! 핵유용 정보 가득한
천재교육 유튜브 <천재TV>

신간에 대한 자세한 정보가 궁금하세요?
참고서를 어떻게 활용해야 할지 고민인가요?
공부 외 다양한 고민을 해결해 줄 채널이 필요한가요?
학생들에게 꼭 필요한 콘텐츠로 가득한 천재TV로 놀러 오세요!

 다양한 교육 꿀팁에 깜짝 이벤트는 덤!
천재교육 인스타그램

천재교육의 새롭고 중요한 소식을 가장 먼저 접하고 싶다면?
천재교육 인스타그램 팔로우가 필수!
누구보다 빠르고 재미있게 천재교육의 소식을 전달합니다.
깜짝 이벤트도 수시로 진행되니 놓치지 마세요!